혼자하기 딱좋은 中國語

중국어 첫걸음

한번 보기

박신영 지음

정진출판사

머리말

이 책은 중국어에 대한 기초가 전혀 없는 사람의 눈높이에 맞추어 누구나 손쉽게 학습하는 데 주안점을 두었습니다. 중국어를 배우고자 하는 열망은 있지만 어디서부터 시작할지 모르는 사람들에게 중국어에 대해 쉽게 다가갈 수 있게 하고 꼭 필요한 쉬운 표현부터 익혀 나갈 수 있도록 했습니다. 따라서 가장 많이 쓰이는 표현을 상황을 통해 제시한 것이 본 교재의 특징이며, 〈한번 보기〉를 통해 학습한 표현을 〈두번 보기〉에서 반복 및 심화 학습을 하여 숙달시키며 점진적으로 표현력을 향상시키는 방법을 사용했습니다.

우리나라와 중국과의 관계가 갈수록 밀접해지면서 중국어를 배우려는 학습자가 아주 많아졌고 다양해졌습니다. 필자가 대학 시절 중국어를 배울 때는 대학에서 전공하는 사람들 정도가 중국어 교재를 펴놓고 공부하곤 했는데 지금은 나이에 관계 없이 전공에 관계 없이 중국어에 대해 학습열의를 가진 분이 많습니다. 이들에게 필요한 교재는 중국어는 배우기 어려운 언어라는 선입견을 심어주는 교재가 아니라 중국어의 기초를 차근차근히 다져주며 학습에 대한 자신감을 심어주는 교재일 것입니다.

흔히들 중국어는 한자가 많아 배우기 어렵다는 얘기를 합니다. 물론 중국어가 한자로 되어 있지만 회화를 익히는데 있어 갑자기 수많은 한자가 필요한 것은 아닙니다. 어떤 외국어를 배우든 문자를 읽고 쓰고 하는 것보다 듣고 말하는 것이 우선이 되어야 합니다. 중국어는 그 점에서 특히 소리 부분, 즉 발음에 중점을 두고 익혀야 하는 외국어입니다. 따라서 중국어를 학습하는 초급 과정에서는 발음을 확실히 장악하는 데 시간과 노력을 많이 들여야 합니다. 중국어 발음은 학습자가 얼마나 흥미를 느끼고 관심을 갖느냐에 따라 성패가 좌우됩니다. 중국어의 중요한 특징으로 음의 높낮이를 가리키는 성조가 있는데, 성조를 익히는 데 재미를 들이고 열심히 따라하다 보면 정확한 성조를 발음할 수 있지만, 기초 단계에서 성조를 소홀히 하여 중급, 고급에 가서도 성조를 정확히 발음하는 데 자신이 없는 경우가 종종 있습니다. 본 교재를 통해 학습하는 사람들은 발음에 대한 단단한 기초를 쌓은 위에 다양한 어휘 및 표현력을 더해 갈 수 있기를 바랍니다.

필자는 다년간 고등학교에서 중국어를 지도하면서 발음 및 기초 표현을 효율적으로 학습하는 방법에 대해 연구하였습니다. 학생들의 학습 과정을 따라가면서 터득하게 된 학습자의 입장에서 이해하기 어려워하는 부분, 틀리기 쉬운 부분에 대한 용례를 분석하여 이 교재에 최대한 반영할 수 있도록 하였습니다. 이 지면을 빌어 명덕외국어고등학교 모든 학생에게 감사의 말을 전합니다.

외국어 학습은 짧은 시간에 완성될 수 있는 것이 아닙니다. 속담에 '천리 길도 한 걸음부터'라는 말이 있듯이 꾸준하게 쉼 없이 노력할 때 원하는 지점까지 도달할 수 있을 것입니다. 이 책은 여러분이 중국어 학습이라는 먼 길을 떠나는 데 동반자가 되어 줄 것입니다.

저자 박신영

한번 보기

차 례

교재 미리보기

발음편

01 한 개, 두 개
一个,两个 yī ge, liǎng ge /18
문화산책 / 중국인의 숫자관념

02 안녕하세요?
你好! Nǐ hǎo! /28
문화산책 / 보통화

03 감사합니다!
谢谢! Xièxie! /38
문화산책 / 중국의 인구와 민족

04 당신의 이름은 무엇입니까?
你叫什么名字? Nǐ jiào shénme míngzi? /48
문화산책 / 중국의 대표적인 성씨

05 당신은 중국 사람입니까?
你是中国人吗? Nǐ shì Zhōngguórén ma? /58
문화산책 / 중국의 국기와 국장

06 당신은 어디 갑니까?
你上哪儿? Nǐ shàng nǎr? /68
문화산책 / 중국의 대중 교통

07 당신은 지금 무얼 하십니까?
你现在干什么呢? Nǐ xiànzài gàn shénme ne? /78
문화산책 / 태극권

contents

08 **그는 누구입니까?**
他是谁? Tā shì shéi? /88
문화산책 / 경극

09 **당신 집은 식구가 몇 명입니까?**
你家有几口人? Nǐ jiā yǒu jǐ kǒu rén? /98
문화산책 / 소황제

10 **오늘은 며칠입니까?**
今天几号? Jīntiān jǐ hào? /108
문화산책 / 고궁·만리장성

11 **시간 있습니까?**
你有空吗? Nǐ yǒu kòng ma? /118
문화산책 / 북경올림픽 마스코트

12 **여보세요, 북경대학인가요?**
喂, 是北京大学吗? Wèi, shì Běijīng Dàxué ma? /128
문화산책 / 중국에서 전화걸기

13 **오늘 날씨가 어떻습니까?**
今天天气怎么样? Jīntiān tiānqì zěnmeyàng? /138
문화산책 / 중국의 기후

14 **당신은 무엇을 원하십니까?**
你要什么? Nǐ yào shénme? /148
문화산책 / 중국의 화폐

15 **언제 시험을 봅니까?**
什么时候考试? Shénme shíhou kǎoshì? /158
문화산책 / 중국의 학교

교재 미리보기

〈한번 보기〉의 구성과 이용 방법을 미리 알아봅시다.

● 기본회화

기본회화는 기본적으로 매 과마다 3개의 회화로 구성되어 있습니다. 일상생활에 가장 많이 쓰이는, 가장 기초가 되는 회화와 어휘로 구성하였습니다.

〈한번 보기〉의 1~14과는 중국어 발음에 익숙하지 않은 학습자들을 위해 한자 위에 한글토를 달아 구성하였으며 15과는 한어병음을 읽거나 병음 없이 발음을 연습할 수 있도록 한글토 없이 한자 위에 성조표기를 하였습니다.

● 발음 포인트

본문에 제시된 어휘 가운데 주의해야 할 발음에 대한 상세한 설명을 곁들여 실생활에서 적용되는 발음을 익힐 수 있습니다.

● 표현 다지기

기본회화의 주요 어구풀이와 간단한 문법 설명을 표현 다지기에서 공부하도록 하였습니다.

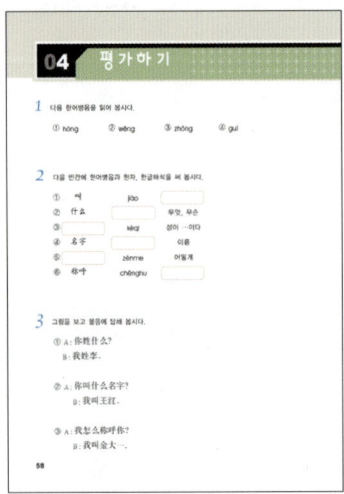

● 평가하기

평가하기에서는 해당 단원의 주요 어휘를 숙지했는가, 주요 문장에 대한 이해도가 완벽한가를 스스로 평가해 볼 수 있습니다.
문제와 함께 정답이 제시되어 자신의 문장 이해도를 즉시 확인해 볼 수 있습니다.

● 어휘 플러스

어휘 플러스는 해당 과의 회화 내용과 관련된 어휘나
알아두어야 하는 내용들로 구성되었습니다.
대부분 그림을 통한 어휘학습을 위주로 구성되었으며,
본문에서 다루지 않은 중국어 학습에 꼭 필요한 내용들도
포함되어 있습니다.

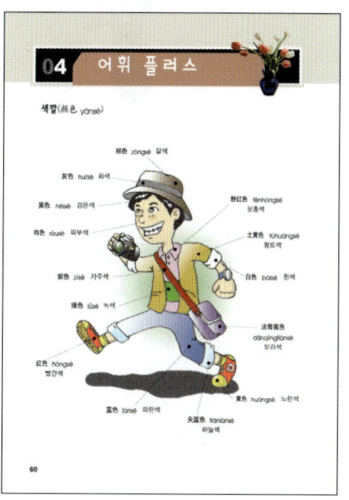

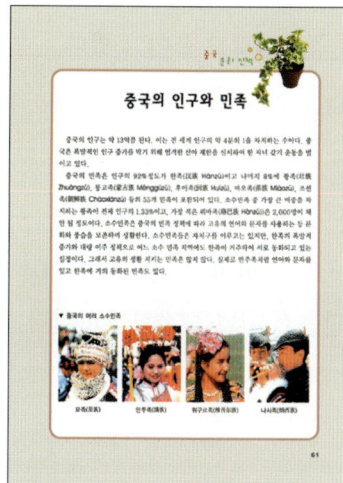

● 중국 문화 산책

중국의 문화와 환경에 대한 다양한 읽을거리들을
그림, 사진과 함께 실었습니다.
자칫 지루해지기 쉬운 외국어 학습에 흥미를 유발할 수
있도록 하였습니다.

● 일러두기

1. 〈한번 보기〉의 기본 회화에는 한글 토를 달았습니다. 이 부분은 최대한 중국어 원문에 가깝게 표기하였다고는 하지만 실제 중국어 발음과는 많은 차이가 있습니다. 한글 토는 참고로만 활용하고 실제 발음은 제공된 자료의 원어민 및 저자의 중국어 발음을 기준으로 학습하십시오.

2. 본문 및 예문의 한어병음에서 '一'과 '不'의 한어병음 성조표기는 학습에 편의를 위해 변화된 성조로 표기하였습니다. 제3성의 변화를 비롯한 기타 한어병음의 변화는 변화되지 않은 본래 성조로 표기하였습니다.

3. 중국의 중국의 화폐단위 '元'의 표기는 본문 회화에서는 실제 발음에 가깝도록 '위엔'으로 표기하였고 해설 및 설명에서는 〈한글 외래어 표기규정〉에 따라 '위안'으로 표기하였습니다.

발음편 | 중국어의 특징

중국어는 어떤 언어일까요?

중국에는 한족(汉族 Hànzú)이외에 55개의 소수민족이 생활하고 있다. 그중에서 한족은 13억에 이르는 중국 총인구의 약 92%를 차지하고 있다. 중국어는 중국 인구의 대다수를 차지하는 한족들의 언어이다. 이런 이유로 중국어를 '한족의 언어'라는 의미인 '한어(汉语 Hànyǔ)'라고 부르는 것이다. '한어'라는 말 외에 '중국화(中国话 Zhōngguóhuà)' 혹은 '중문(中文 Zhōngwén)'이라고도 하는데 엄밀히 말하면 '汉语'가 가장 알맞은 말이라고 할 수 있다.

중국어는 세계에서 사용인구가 가장 많은 언어로, 국가간의 공용어로도 쓰이고 있다.

중국어의 특성은 일반적으로 다음의 4가지로 설명할 수 있다.

■ 단음절성

중국어를 표기하는 한자는 한 개의 글자가 하나의 음절로 되어 있으며 또 글자마다 의미를 갖는다. 다시 말해서 글자 하나가 하나의 낱말이 되는데 이를 단음절사[單音節詞]라고 한다.

| 火 huǒ 불 | 山 shān 산 |
| 天 tiān 하늘 | 地 dì 땅 |

그러나 현대 중국어에서는 '탁자(桌子 zhuōzi)', '전화(电话 diànhuà)' 등과 같이 점차 다음절화되는 추세에 있다. 하지만 그렇다고는 해도 아직도 다른 언어에 비해 단음절성이 두드러진다고 볼 수 있다.

■ 고립성

중국어는 우리말이나 영어와 달리 인칭과 시제에 따라 한자 자체에 변화를 일으키는 일이 없다. 즉, 영어의 'go'는 주어가 바뀜에 따라 'go, goes'로, 시제에 따라 'go, went, goen'으로 모양이 변화하고, 우리말의 '가다'도 '가니, 가서, 가고, 가면' 등으로 어미가 변화한다.

Fāyīnpiān 발음편

그러나 중국어는 주어나 시제에 관계없이 언제나 '去'라는 한 글자로 사용된다. 또 중국어에는 '…은, …는, …이, …가, …을, …를'과 같은 조사가 없으며 단지 어순에 의해서만 문법적인 관계를 나타낸다.

■ 성조

중국어는 단음절 원칙 외에도 글자마다 성조를 갖고 있다는 특징이 있다. 똑같은 음절이라도 소리의 높이와 장단에 따라 의미가 달라지는 것이다. 현대 중국어에서는 성조를 크게 4가지, 즉 제1성·제2성·제3성·제4성으로 나누어 분류하는데 이것을 사성조(四聲調)라고 한다.

> 제1성 mā 妈 어머니
> 제2성 má 麻 삼, 마
> 제3성 mǎ 马 말
> 제4성 mà 骂 욕하다, 나무라다

위와 같이 'ma'라는 하나의 음절이 성조에 따라서 다른 의미를 가지므로 성조가 정확하지 않으면 정확한 의미전달이 어려울 수 있다. 성조는 중국어 학습에 있어서 절대 소홀히 다루어서는 안될 중요한 필수 요소인 것이다.

■ 방언

국토가 넓은 만큼 중국어에는 방언이 많은데 지역에 따라 크게 7개의 방언으로 분류된다. 그중에서 가장 대표적인 것이 북경어와 광동어이다. 북경어와 광동어는 두 언어로 이야기할 때 서로 온전히 의미를 전달할 수 없을 정도로 발음의 차이가 크다. 그래서 현재는 '보통화(普通话 pǔtōnghuà)'라고 불리는 표준어를 사용하고 있는데 보통화는 북방방언을 기초로 해서 북경어의 발음을 표준으로 삼고 있다. 우리가 배울 중국어도 바로 이 보통화이다.

★ 중국어는 우리가 알고있다시피 한자를 사용하여 표기하는 언어이다.
한자는 약 5,000년 전에 창힐(苍颉)이 새와 짐승의 발자국을 보고 처음 만들었다는 설과 갑골문에서 유래한다는 설이 널리 알려져 있다.
현재 중국에서는 획이 복잡하지 않은 한자는 그대로 사용하고, 획이 복잡한 한자는 획수를 일정한 규칙으로 간략화하여 사용하고 있다. 이렇게 기존의 한자를 간략화 한 한자를 '간체자(简体字 jiǎntǐzì)'라고 부르며 앞으로 우리가 배울 중국어 문자 역시 간체자이다.

발음편 | 중국어의 특징

중국어의 발음

중국어 발음을 익히기 위해 음절의 구성상 특징을 살펴보자. 한국어에 자음, 모음이 있듯이 중국어에는 성모, 운모가 있고 그 외에 성조가 있다. 이러한 것을 나타낸 중국어 발음부호를 한어병음이라고 한다. 예를 들어 한자 '江(강)'을 한어병음으로 나타내면 [jiāng]이다.

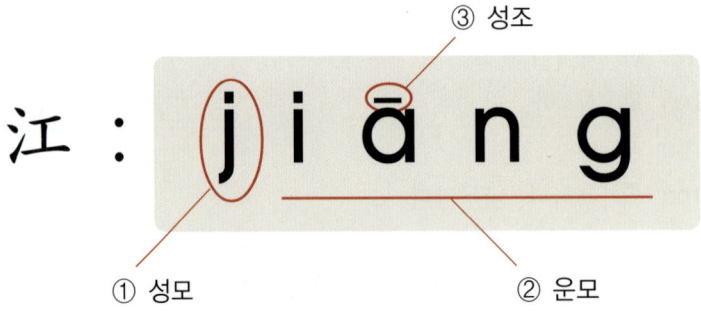

① 성모 : 음의 시작으로 우리말의 자음(子音)에 해당한다.
② 운모 : 성모를 제외한 나머지 부분으로 우리말의 모음(母音)에 해당하고, 받침소리까지 포함한다.
③ 성조 : 음절의 높낮이를 표시한 것으로 4가지 종류가 있다.

중국어의 특징이 되는 성조는 표준어의 경우 1성, 2성, 3성, 4성에 경성이 더해지는데, 동일한 성모와 운모가 만나더라도 성조가 다르면 다른 발음이 된다. 따라서 성조는 의미를 구별해주는 중요한 역할을 하므로 잘 익혀두어야 한다.

1. 성모(声母)

음의 시작을 표시하는 성모는 우리말의 자음(子音)에 해당한다. 중국어 표준어의 성모는 21개가 있는데 발음의 방식에 따라 쌍순음, 순치음, 설첨음, 설면음 권설음, 설치음으로 나뉜다.

Fāyīnpiān 발음편

성모	독음	발음	발음 요령	구분	발음 그림
b p m	bo po mo	뽀 포 모	두 입술을 붙였다가 떼면서 발음한다.	쌍순음	b
f	fo	포	아랫입술에 윗니를 가볍게 마찰시켜 영어의 f처럼 발음한다.	순치음	f
d t n l	de te ne le	떠 터 너 러	혀 끝을 윗잇몸에 강하게 붙였다가 떼면서 발음한다.	설첨음	d
g k h	ge ke he	꺼 커 허	혀뿌리를 들어 입천장에 갖다 대거나 마찰시켜 발음한다	설근음	g
j q x	ji qi xi	지 치 시	혀끝을 아랫니 뒤쪽에 붙이고, 혓바닥을 입천장에 붙였다가 떼면서 발음한다.	설면음	j
zh ch sh r	zhi chi shi ri	즈 츠 스 르	혀의 가장자리를 말아 입천장에 닿을 듯 말 듯하게 하고 그 사이로 공기를 내보내며 발음한다.	권설음	zh
z c s	zi ci si	쯔 츠 쓰	혀 끝에 힘을 주어 윗니 뒷벽에 강하게 붙이면서 발음한다.	설치음	z

11

발음편 중국어의 특징

2. 운모(韵母)

(1) 기본 운모

기본 운모에는 다음과 같은 15개가 있다.

운모	발음	발음 요령	유의점
a	아	입을 크게 벌려서 발음한다.	
o	오	입을 둥글게 하고 두 입술의 간격을 적당히 벌려서 발음한다.	
e	어 / 에	'o'를 발음한 것에서 입을 옆으로 벌리고 혀를 뒤로 하여 발음한다.	i, ü와 결합할 때 '에'로 발음 예 mei, jie, nüe
i	이	입술 양끝을 최대한 옆으로 당기고 발음한다.	결합하는 성모가 없으면 yi로 표기
u	우	입술을 둥글게 오므리며 앞으로 내밀며 발음한다.	결합하는 성모가 없으면 wu로 표기
ü	위	입술을 둥글게 오므리고 '위'를 발음하되 중간에 입술 모양이 변하지 않도록 한다.	결합하는 성모가 없으면 yu로 표기
ai	아이	'아'를 길게 하고 '이'를 짧게 연결하여 발음한다.	
ei	에이	'에'를 길게 하고 '이'를 짧게 연결하여 발음한다.	
ao	아오	'아'를 길게 하고 '오'는 짧고 약하게 발음한다.	
ou	어우	'어'를 길게 하고 '우'는 짧고 약하게 발음하되, '오우'로 발음하지 않도록 한다.	
an	안	'아'를 길게 내며 혀끝을 윗잇몸에 붙인채 'ㄴ'받침을 붙여 발음한다.	
en	언	'어'를 길게 내며 'ㄴ'받침을 붙여 발음한다.	
ang	앙	'아'를 길게 내며 혓뿌리로 입천장을 막으며 'ㅇ'받침을 발음한다.	
eng	엉	'어'를 길게 내며 'ㅇ'받침을 붙여 발음한다.	
er	얼	'어'를 발음하면서 혀끝을 살짝 말아 올려 'ㄹ'받침을 붙여 발음한다.	

① i : 성모 중에 권설음[zh, ch, sh, r], 설치음[z, c, s]과 결합할 때 '이'로 발음되지 않고 '으'에 가깝게 발음된다.
② u : 성모 중에 설면음 [j, q, x]와 함께 나오면 ü를 대신한 것이므로 '위'로 발음된다. [j, q, x] 뒤에 나온 'u'는 실제로 ü인데 두 점을 생략하고 쓴 것이다.

(2) 결합 운모

결합운모는 [i, u, ü] 세 운모에 다른 운모가 결합하여 이루어진 것이다. 즉 [i, u, ü] 운모가 다른 운모의 앞에 들어가는데 '이, 우, 위' 발음이 뒤따르는 운모와 합쳐지는 것이 아니라 분명히 드러나게 발음해야 한다. 예를 들어 'iao'를 '야오'라고 발음하지 말고 '이아오'처럼 '이'가 남아있도록 발음한다.

운모	발음	발음 요령	유의점
ia	이아	ya	
ie	이에	ye	
iao	이아오	yao	
iou	어어우	you	성모와 결합할 때 iu 로 표기한다. 예 jiu
ian	이엔	yan	'이안'이 아니라 '이엔'으로 발음해야 한다.
in	인	yin	결합하는 성모가 없으면 y 를 i 앞에 더한다.
iang	이앙	yang	
ing	잉	ying	
iong	이옹	yong	
ua	우아	wa	
uo	우어	wo	

운모	발음	발음 요령	유의점
uai	우아이	wai	
uei	우에이	wei	성모와 결합할 때 ui 로 표기한다. 예) dui
uan	우완	wan	
uen	우언	wen	성모와 결합할 때 un 로 표기한다. 예) chun
uang	우앙	wang	
ueng	우엉	weng	성모와 결합할 때 ong 로 표기한다. 예) dong
üe	위에	yue	결합하는 성모가 없으면 ü → yu 로 표기한다.
üan	위엔	yuan	
ün	윈	yun	

3. 성조의 표기

성조를 나타내는 부호는 제1성, 제2성, 제3성, 제4성 차례대로 ' ˉ ˊ ˇ ˋ '로 표기하고 해당 발음의 주요 모음 위에 표시한다.

주요 모음은 'a, o, e, i, u, ü'를 말하는데, 주요 모음이 여럿 있을 경우 성조를 표기하는 위치는 입을 크게 벌리는 순서로 결정되며, a > e, o > i. u. ü 의 순이다.

경성에는 성조를 표기하지 않는 것이 원칙이다. 반3성과 같이 성조의 변화가 있는 경우라도 표기는 원래 글자의 성조대로 표기한다.

Fāyīnpiān 발음편

중국어의 성조

■ 성조 도해표

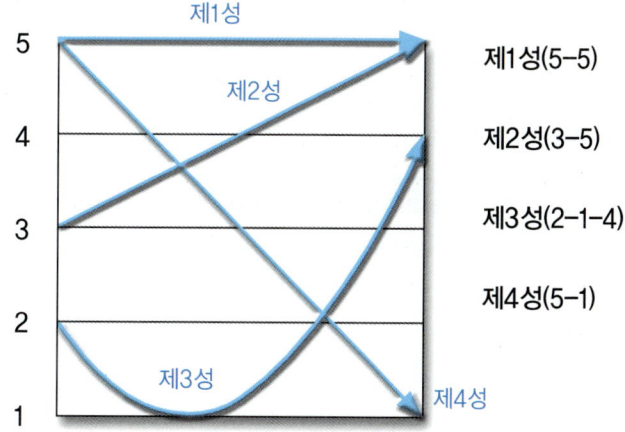

1. 사성조(四聲調)와 경성

제1성

yī
tiān
chī
duō

zhōng　　yā　　chuāng

제1성은 높고 평평한 음으로 끝까지 힘을 빼지 않고 높이를 유지하며 발음한다.

제2성

xué
rén
guó
qián

qiáo　　niú　　xié

제2성은 중간 높이에서 가장 높은 음으로 단숨에 짧게 끌어올리며 뒤쪽에 힘을 넣어 발음한다.

15

제3성

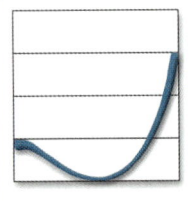

wǒ
xiǎo
gěi
dǒng   sǎn   zǎo   xuě

제3성은 제2성보다 조금 낮게 발음하기 시작해서 소리가 가장 낮은 음으로 떨어져 머무르게 한 다음 다시 높은 음으로 끌어올린다.

제4성

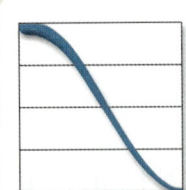

cài
dà
gàn
zì   shù   mào   tù

제4성은 가장 높은 음에서 시작하여 가장 낮은 음으로 빠르게 소리를 떨어뜨린다.

경성

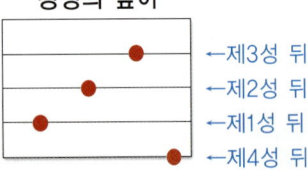

←제3성 뒤
←제2성 뒤
←제1성 뒤
←제4성 뒤

māma   nǎinai   yàoshi

표준어에서 일부 음절은 약하고 짧게 발음되는데, 이를 경성이라고 한다. 경성은 특별한 성조 표기를 하지 않으며, 앞 음절의 성조에 따라 소리의 높이가 달라진다.

2. 성조의 변화

제3성의 변화1

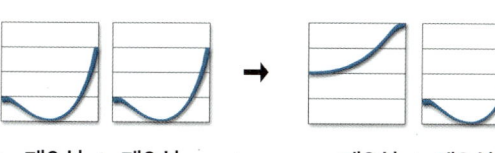

hěn hǎo
biǎo yǎn
fǔ dǎo

제3성 + 제3성 → 제2성 + 제3성

제3성의 뒤에 같은 제3성이 오면, 앞에 있는 3성은 2성으로 발음한다. 성조 표기는 그대로 제3성으로 한다.

제3성의 변화2

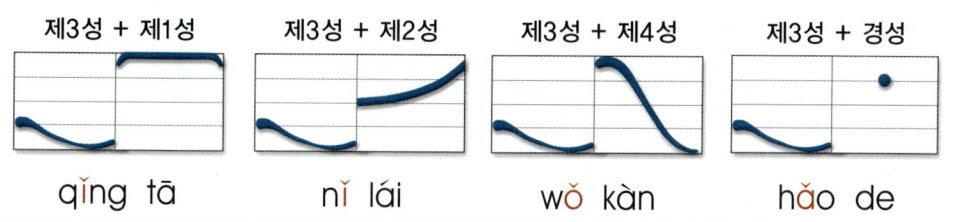

제3성 + 제1성 qǐng tā
제3성 + 제2성 nǐ lái
제3성 + 제4성 wǒ kàn
제3성 + 경성 hǎo de

제3성의 뒤에 3성 이외의 1, 2, 4성 및 경성이 오면 제3성의 전반부만 발음되는 반3성으로 변한다. 즉, 떨어지는 부분만 발음하는 것이다. 단, 성조의 표기는 제3성 그대로 표기한다.

一, 七, 八, 不의 변화

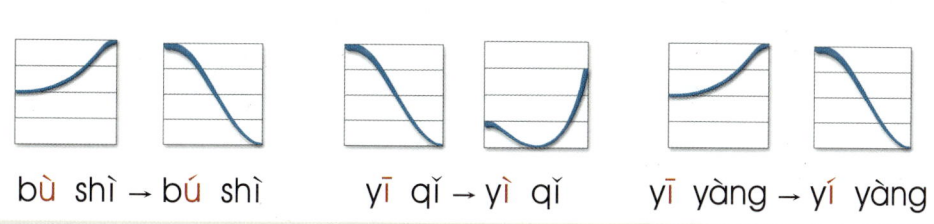

bù shì → bú shì   yī qǐ → yì qǐ   yī yàng → yí yàng

'不'는 본래 제4성인데 뒤에 제4성 음절이 이어지면 제2성으로 변화하고 '不'뒤에 제4성 외에 다른 성조가 올 때는 변화하지 않는다.
'一'는 본래 제1성인데 뒤에 제1성, 제2성, 제3성이 이어지면 제4성으로 변화한다. 뒤에 제4성이 이어지면 '一'는 제2성으로 변화한다. '一'가 제1성을 유지하는 경우는 단독으로 읽히거나, 문장 끝에 위치한 경우와 서수와 기수를 나타낼 때이다.

01 한 번 보기

一个, 两个

한 개, 두 개
Yí ge, liǎng ge

기본 회화 1 숫자

| 1 이 一 yī | 2 얼 二 èr | 3 싼 三 sān | 4 쓰 四 sì | 5 우 五 wǔ |

| 6 리우 六 liù | 7 치 七 qī | 8 빠 八 bā | 9 지우 九 jiǔ | 10 스 十 shí |

01 발음 포인트

■ '一 yī' 와 '七 qī'

숫자를 말할 때 가장 혼동을 일으키는 것이 1과 7이다. 우리말의 '일'과 '칠'만 보아도 이 둘이 비슷하다는 것을 알 수 있는데, 중국어는 받침 'ㄹ' 소리도 없기 때문에 'qī'를 길게 소리 내면 뒤에 yī만 남게 되어 잘못 전달되는 수가 있다. 이러한 혼동을 피하기 위해서 전화번호, 버스 번호 등에서는 1을 'yāo'로 발음한다.

■ '四 sì' 와 '十 shí'

숫자 4와 10은 중국인들끼리도 구분이 쉽지 않은 발음이다. 우선 'sì'와 'shí'의 'i' 발음은 우리말 '으'에 가까운 발음이다. 'z, c, s'와 'zh, ch, sh, r' 뒤에서 'i'는 '이'로 소리나지 않는다는 것에 주의해야 한다.

'sì'는 영어의 '예쓰'에서 '쓰'에 가깝게 발음하고, 'shí'는 권설음으로 발음해야 구분이 된다. 중국의 상점 등지에서 이 두 발음의 구분이 잘 안될 때 손가락으로 넷인지 열인지를 물어보는 경우를 흔히 볼 수 있다.

01 표현 다지기

■ 번호 읽기 – 전화 번호, 버스 번호, 방 번호

중국 사람에게 자신의 전화 번호를 알려주고 싶을 때 숫자를 어떻게 불러줘야 할까? 우선 한국식으로 백 단위, 천 단위로 읽지 않는다는 점에 주의한다. 가령, '234-1560'을 '이백삼십사국'이라고 하지 않고 단 단위로 끊어서 7개의 숫자를 내리 읽는다. '국'이란 말이 없는 대신 '국'이 위치한 자리에 쉼표를 넣어 말하기도 한다. 그리고 숫자 가운데 '1'이나 '0'이 있으면 'yāo'와 'líng'으로 읽는다.

- 二三四一五六零
  èr sān sì yāo wǔ liù líng

01 한 개, 두 개

기본 회화 ② 숫자 2

11	12	14	20	40
스이	스얼	스쓰	얼스	쓰스
十一	十二	十四	二十	四十
shíyī	shí'èr	shísì	èrshí	sìshí

0	100	1000	10000	억
링	바이	치엔	완	이
零	百	千	万	亿
líng	bǎi	qiān	wàn	yì

02 발음 포인트

■ 十二 shí'èr

'shí'èr'에서 사이에 쓰인 격음 부호 ','는 발음을 분리해서 읽으라는 표시이다.
예를 들면 '天安门(천안문) Tiān'ānmén'에서처럼 앞음절의 끝부분이 뒷음절의 첫부분과 연결되는 것을 막는 표시이다.

02 표현 다지기

■ 10 이상의 숫자

중국어의 '11~99'까지 숫자읽기는 한국말과 완전히 같다. 다만 '100'은 '一百'으로 '一'을 꼭 넣어서 읽는다. '110'은 '一百一十' 혹은 '一百一' 두 가지로 읽을 수 있다. 차례대로 나오는 자리수는 생략할 수 있기 때문에 '十'을 생략한 것이다. '101'은 '一百零一'라고 한다.

- 十五 : 15
  shíwǔ
- 八百五(十) : 850
  bābǎi wǔ(shí)
- 一百四十三 : 143
  yībǎi sìshísān
- 七千六百零九 : 7609
  qīqiān liùbǎi líng jiǔ

Māma qí mǎ, mǎ màn, māma mà mǎ.
妈妈骑马, 马慢, 妈妈骂马。
엄마가 말을 타는데, 말이 느려서, 어머니께서 말을 혼냈다.

01 한 개, 두 개

기본 회화 ③ 세어 봅시다

한 개	두 개	세 개	네 개
이 거	량 거	싼 거	쓰 거
一个	两个	三个	四个
yí ge	liǎng ge	sān ge	sì ge

다섯 개	여섯 개	일곱 개	여덟 개
우 거	리우 거	치 거	빠 거
五个	六个	七个	八个
wǔ ge	liù ge	qī ge	bā ge

 生词

个 gè, ge 개(양사)

Yī ge, liǎng ge 01

03 발음 포인트

■ 一个 yí ge

'个'는 우리말 '…개'에 해당하는 말이다. 물건을 셀 때 가장 대표적으로 쓰이는 말인데 성조에 약화 현상이 일어나 원래 성조 4성보다는 경성으로 주로 발음된다. 하지만 '一个'에서는 '一'가 2성 yí으로 발음되는데, 이것은 '个 gè'를 4성으로 취급해서이다. '一'는 단독으로 읽힐 때는 1성, 4성 앞에서는 2성, 그 밖의 성조 앞에서는 4성으로 변화한다.

- yī + xià = yí xià
- yī + qǐ = yì qǐ

03 표현 다지기

■ 两 liǎng

한국어에서 '하나, 둘, 셋…'과 '한 (개), 두 (개), 세 (개)'와 같이 표현되듯이, 중국어에서 '2'는 두 가지 표현이 있다. 일반적으로 수를 헤아릴 때는 '二'을 쓰지만, 물건의 개수를 셀 때는 '两'을 써야 한다. 개수를 세는 단위가 되는 말, 즉 중국어의 양사(量詞) 앞에 쓰인 '2'의 경우 '两'으로 쓰는 것이다. 이런 원칙에도 예외가 있는데 '12', '20'의 경우는 양사 앞에 쓰이더라도 '十二', '二十'으로 표현한다.

- 두 개   两个
  liǎng ge
- 열 두 개   十二个
  shí'èr ge

■ 个 ge

'个'는 쓰임새가 가장 광범위한 양사이다. 우선 사람을 세는 '…사람(명)'의 뜻이 있다. 또, 특정한 양사가 없는 경우나 혹은 다른 양사를 대체할 때도 '个'를 사용한다. '个'의 본래 성조는 4성이지만 수사와 함께 사용될 때는 일반적으로 경성으로 발음한다.

- 한 사람   一个人
  yí ge rén

01 평가하기

1 각 성조별로 중국어 숫자를 읽어 봅시다.

① 1성: 一 yī   三 sān   七 qī   八 bā
② 2성: 十 shí   零 líng
③ 3성: 五 wǔ   九 jiǔ   两 liǎng
④ 4성: 二 èr   四 sì   六 liù

2 그림을 보고 숫자를 말해 봅시다.

① 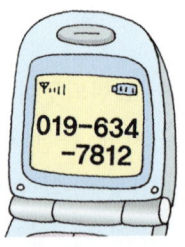   ②

③    ④

⑤    ⑥

3 다음 숫자를 보고 한자를 써 봅시다.

① 4 :
② 20 :
③ 75 :
④ 136 :

4 다음 한자를 써 봅시다

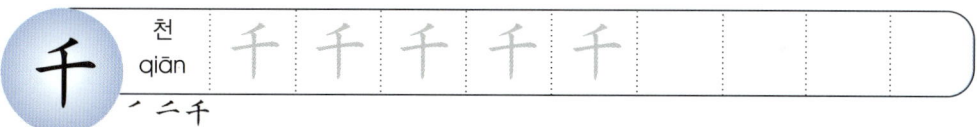

백
bǎi

천
qiān

만
wàn

영, 0
líng

2. ① líng yāo jiǔ, liù sān sì, qī bā yāo èr   ② yāo èr líng [yì bǎi èr(shí)]
   ③ bā sì èr   ④ liǎng ge rén   ⑤ liù ge   ⑥ shí'èr ge
3. ① sì   ② èrshí   ③ qīshíwǔ   ④ yì bǎi sānshíliù

01 어휘 플러스

중국어 숫자 읽기

중국어 숫자를 읽을 때 우리말과 비교해서 주의할 점은 다음과 같다.

1. '一'은 보통 '十' 앞에는 안 써도 되지만 '百, 千, 万, 亿' 앞에서는 꼭 써야 한다.
   15일   十五号   shíwǔ hào
   백 점   一百分   yībǎi fēn
   천 명   一千人   yīqiān rén
   만 원   一万块钱   yīwàn kuài qián

2. 세 자리수 이상에서 끝의 '0' 단위는 생략할 수 있다.
   110   一百一(十)   yībǎi yī(shí)   (마지막 단위인 '十' 생략 가능)
   2400   两千四(百)   liǎngqiān sì(bǎi)   (마지막 단위인 '百' 생략 가능)

3. 숫자 가운데 있는 '0'은 여러 개가 나란히 있을 경우 '零' 한 번으로 읽는다.
   305   三百零五   sānbǎi líng wǔ
   3,005   三千零五   sānqiān líng wǔ
   3,050   三千零五十   sānqiān líng wǔshí
   30,005   三万零五   sānwàn líng wǔ
   30,503   三万零五百零三   sānwàn líng wǔbǎi líng sān
   60,500,099 六千零五十万零九十九   liùqiān líng wǔshíwàn líng jiǔshíjiǔ

4. 분수와 퍼센트
   $\frac{2}{3}$ 三分之二   sān fēn zhī èr
   $3\frac{1}{3}$ 三又三分之一   sān yòu sān fēn zhī yī
   50%   百分之五十   bǎi fēn zhī wǔshí
   201%   百分之二百零一   bǎi fēn zhī èrbǎi líng yī

5. 소수
   3.14592   三点一四一五九二   sān diǎn yī sì yī wǔ jiǔ èr
   305.00305   三百零五点零零三零五   sānbǎi líng wǔ diǎn líng líng sān líng wǔ

중국인의 숫자 관념

사람들이 사는 곳이면 숫자에 대해 행운과 불운의 의미를 부여하는 문화가 있다. 우리나라 사람들은 대개 3이나 7을 좋아하고 4를 싫어한다. 그렇다면 중국 사람들의 숫자에 대한 관념은 어떠할까? 대체로 숫자의 발음으로 연상되는 것이 무엇이냐에 따라 의미를 부여하는 경우가 많다.

중국 사람에게 가장 인기 있는 숫자는 단연코 8이라고 할 수 있다. 이는 '八 bā'의 발음이 '돈 벌다'는 뜻의 '发 fā'와 비슷하기 때문이다. 중국 사람들의 숫자 '8'에 대한 애정은 상당하다. 가령 2008년 베이징 올림픽 유치에 성공했을 때 중국인 모두 '8'에 굉장한 의미를 부여하며 서로 얼싸안고 기뻐했던 것이다. 자신과 관련된 전화번호, 자동차번호에 8을 넣기 위해서 큰 돈을 주고 번호를 사기도 한다.

그밖에 좋아하는 숫자 중에 6이 있는데 '六 liù'의 발음이 '일이 잘 진행된다'의 '流 liú'와 닮아서이다. 중국의 속담에 '六六大顺 liùliù dàshùn'이라 하여, 나이가 66세일 때 일이 가장 잘 풀린다는 말이 있다.

중국인들이 싫어하는 숫자로는 우리 나라와 마찬가지로 4가 있다. '四 sì'를 죽음의 뜻인 '死 sǐ'에 연관지으며 기피한다. 7도 별로 좋아하지 않는데 '七 qī'가 '화나다'의 '气 qì'와 비슷한 발음이기 때문이다.

▼ 1~10의 수화 표현 그림

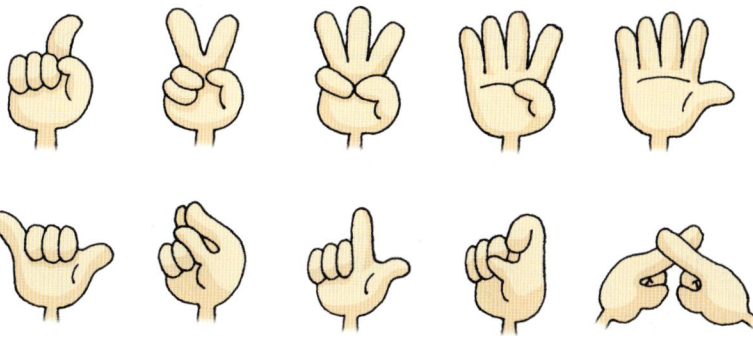

02 한 번 보기

你好!
안녕하세요!
Nǐ hǎo!

기본 회화 1 안녕하세요!

니 하오
A 你好!
Nǐ hǎo!

닌 하오
B 您好!
Nín hǎo!

A_ 안녕!
B_ 안녕하세요!

01 발음 포인트

■ **你好** nǐ hǎo

'n'음을 낼 때, 우리말 'ㄴ'보다 혀에 힘을 더 많이 주어 입천장을 완전히 막았다 떼면서 발음해야 한다. 그렇지 않고 혀의 앞부분만 살짝 붙였다 뗀다면 중국인은 '1 yī'로 잘못 들을 소지가 있다. 'h'음은 공기가 혀뿌리 부분을 통과할 때 마찰이 일어나면서 나는 소리이다. 유리창에 '호~'하고 김을 강하게 불 때를 연상해 보자.

두 개의 음절을 연이어 읽을 때, 정확한 성조로 읽을 수 있어야 한다. 특히 3성이 2개가 연이어지면, 앞의 3성은 후반성만 소리난다. 이것을 다시 말해 앞의 3성이 2성으로 바뀐다고 한다.

- nǐ hǎo → ní hǎo

01 표현 다지기

■ **你好** nǐ hǎo

한국어에서 '안녕하세요?'처럼 때와 장소를 가리지 않고, 아는 사람 혹은 모르는 사람에게 모두 쓸 수 있는 표현을 중국어에서 찾으라면, '你好'가 바로 그것이다. 우리말에서 '안녕하세요?'가 물어보는 말이 아니듯이, '你好'도 똑같아서 답할 때 같은 '你好'로 응해주면 된다. 한국말은 높임법이 발달하여 '안녕, 안녕하세요, 안녕하십니까' 등이 다양하지만, 중국어에서는 존칭 '您'을 쓰면 상대에 대해 존대하는 표현이 된다. 그렇다고, '你好'가 낮추는 말이 되는 것이 아니며, 일반적으로 연장자에게도 쓸 수 있지만 확실히 경어로 표현하고 싶을 때, '您好'를 쓰는 것이다.

 生词

你 nǐ 너, 당신   好 hǎo 좋다, 안녕하다
您 nín 당신(존칭)

02 안녕하세요?

기본 회화 ❷ 선생님 안녕하세요!

AB 老师 好!
　　라오스 하오
　　Lǎoshī hǎo!

C 你们 好!
　　니먼 하오
　　Nǐmen hǎo!

AB_ 선생님 안녕하세요!

C_ 여러분 안녕하세요!

 生词

| 老师 | lǎoshī | 선생님 |　　| 你们 | nǐmen | 너희, 당신들 |

02 발음 포인트

■ 你好 nǐ hǎo

두 개 이상의 음절이 이어질 때 3성이 그 중에 들어있다면, 3성의 성조 변화에 유의해야 한다. 앞에서 3성이 두 개 연이어 있을 때 '2성+3성'으로 변화하여 읽히는 경우를 다루었다. 다음으로는 3성의 뒤에 3성 이외의 성조가 올 때 앞의 3성이 반3성으로 바뀌는 것에 주의해야 한다. 3성은 음의 높낮이가 '2-1-4'로 표현되는 길고 굴곡이 있는 성조인 까닭에 3성 외의 다른 성조와 이어질 때 앞의 '2-1'만 실현이 된다. 즉, 하강되는 부분만 소리나는데 이를 편의상 반3성이라고 한다.

- 반3성 + 1성   lǎoshī
- 반3성 + 2성   nǐ lái
- 반3성 + 4성   nǐ qù
- 반3성 + 경성   nǐmen

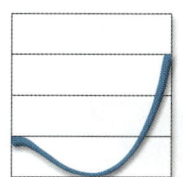 →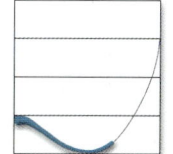

앞의 제3성이 반3성으로 변화

02 표현 다지기

인사말 '你好'에서 '你'자리에 여러 호칭이 올 수 있다. '老师'와 같은 사람을 지칭하는 명사를 넣어도 되고 직접 이름을 넣어도 된다.

- 大家好!   여러분 안녕하세요!   *大家 dàjiā 여러분
  dàjiā hǎo!

중국어는 대체로 단수, 복수의 구분이 엄밀하지 않다. 하지만 대명사의 경우는 단수, 복수형이 존재한다. 복수형은 인칭 대명사의 단수형에다가 복수 접미사 '们'을 붙여 주면 된다.

- 你 nǐ 너 → 你们 nǐmen 너희들
- 我 wǒ 나 → 我们 wǒmen 우리들
- 他 tā 그 → 他们 tāmen 그들

02 안녕하세요?

기본 회화 ❸ 건강하시죠?

A 你身体好吗?
　니 션티 하오 마
　Nǐ shēntǐ hǎo ma?

B 很好, 谢谢!
　헌 하오 씨에셰
　Hěn hǎo, xièxie!

A_ 당신 건강이 어떠세요?
B_ 아주 좋아요, 감사합니다!

 生词

身体 shēntǐ 몸, 건강　　　吗 ma …까?(의문 조사)
很 hěn 아주, 매우　　　　谢谢 xièxie 감사합니다

03 발음 포인트

■ **你身体好吗?** Nǐ shēntǐ hǎo ma?

'…hǎo ma?'를 발음할 때 성조의 구성이 '반3성+경성'인 것과 이 문장이 의문문임에 유의한다. 경성은 약하고 가볍게 소리를 내되 음의 높이는 앞음절에 따라 상대적으로 결정된다. 반3성 뒤에서의 경성은 비교적 높은 음으로 난다. 그리고 'ma'를 다시 'm+a'로 나눈다면 'm'보다 'a'가 약간 높게 발음된다. 그 이유는 이 문장이 의문문이기 때문인데, 의문의 어감을 잘 살려서 발음하다 보면 자연히 좀 올라가는 것을 알 수 있다.

03 표현 다지기

■ **你身体好吗?** Nǐ shēntǐ hǎo ma?

이 문장을 '당신은 신체가 좋습니까?'라고 해석하면 조금 어색하다. '당신, 건강이 어떠세요?'가 무난할 것이다. 이 표현은 안부 인사로 건강에 대해 물어볼 때 흔히 쓰인다.
'很好'에서 '很'은 '아주'의 뜻으로 형용사의 정도를 수식한다.

- **很大**   아주 크다
  hěn dà

Māma zhòng má, wǒ qù fàng mǎ,
mǎ chīle má, māma mà mǎ.

妈妈种麻, 我去放马, 马吃了麻, 妈妈骂马。

엄마가 마를 심는데 나는 말을 풀어 놓았다. 말이 마를 먹어버려서, 엄마가 말을 혼냈다.

02 평가하기

1 다음 한어병음을 읽어 봅시다.

① lǎoshī　　② nǐ lái　　③ nǐ qù　　④ nǐmen

2 다음 빈칸에 한어병음과 한자, 한글해석을 써 봅시다.

①	好		좋다, 안녕하다
②		nín	당신(존칭)
③	身体	shēntǐ	
④	吗	ma	
⑤	很		아주, 매우
⑥		xièxie	감사합니다

3 다음 한어병음 문장에 성조를 붙이고 읽어 봅시다.

① A : Ni hao!

　B : Nin hao!

② AB : Laoshi hao!

　C : Nimen hao!

③ A : Ni shenti hao ma?

　B : Hen hao, Xiexie!

4 다음 중국어 문장을 확장하여 읽고 뜻을 이해해 봅시다.

好 hǎo

好吗? hǎo ma?

身体好吗? shēntǐ hǎo ma?

你身体好吗? Nǐ shēntǐ hǎo ma?

5 다음 한자를 써 봅시다

| 师 | 스승 shī | 师 师 师 师 师 |

丿 丨 广 师 师 师

| 体 | 몸 tǐ | 体 体 体 体 体 |

丿 亻 仁 什 什 休 体

| 吗 | …입니까 ma | 吗 吗 吗 吗 吗 |

丨 口 吗 吗 吗

정답
2. ① hǎo ② 您 ③ 몸 ④ …입니까 ⑤ hěn ⑥ 谢谢
3. ① A : Nǐ hǎo!   B : Nín hǎo!
   ② AB : Lǎoshī hǎo!   C : Nǐmen hǎo!
   ③ A : Nǐ shēntǐ hǎo ma? B : Hěn hǎo, Xièxie!
4. 당신 건강은 좋습니까?

02 어휘 플러스

여러 가지 인사말

중국어 인사말 '你好!'는 하루 중 어느 때나 쓸 수 있는 표현이다. 중국어에도 때에 따라 인사하는 법이 있는데 다음과 같이 인사한다.

■ 아침에 하는 인사

'안녕하세요!', '좋은 아침입니다!'로 두루 쓰인다.

早!   Zǎo!
早安!   Zǎo'ān!
早上好!   Zǎoshang hǎo!

■ 점심에 하는 인사

午安!   Wǔ'ān!   평안한 낮 시간 되세요!

■ 저녁에 하는 인사

晚上好!   Wǎnshang hǎo!   안녕하세요!
晚安!   Wǎn'ān   안녕히 주무세요!

그밖에 명절 또는 특별한 날에 나누는 인사말이 있다.

新年好!   Xīnnián hǎo!   새해 복 많이 받으세요!
恭喜发财!   Gōngxǐ fācái!   부자 되세요!
圣诞节快乐!   Shèngdàn Jié kuàilè!   메리 크리스마스!

보통화(普通话)

현대 중국어의 표준어를 '보통화(普通话 pǔtōnghuà)'라고 한다.

중국의 표준어 제정 규정을 보면 "북경음을 표준음으로 하고, 북방방언을 기초방언으로 하여 모범적인 현대 백화(白话)에 의한 저작(著作)을 문법적 규범으로 하는 한민족(汉民族)의 공통어"로 정하고 있다. 이 정의를 통해 표준어의 발음, 어휘, 문법상의 범위를 설정하고 있는 것이다. 중국어는 입말과 글말이 큰 차이를 보이는데 '白话 báihuà'는 입말을, '文言 wényán'은 글말을 의미한다. 일상적인 구어에서는 주로 '白话'를 쓴다.

텔레비전, 라디오 방송, 학교 교육에도 이 보통화가 사용되고 있으며, 그 보급도는 상당히 높다. 우리가 일반적으로 중국어라고 하는 것은 이 보통화이다. 조금이라도 보통화를 말할 수 있다면 중국 어느 곳에 가도 대체로 통할 수 있다.

이밖에도 중국어를 가리키는 말로 '汉语 Hànyǔ'가 있으며, 중국 사람들은 자신의 언어를 그렇게 부른다. 그리고 일반적으로 '中国话 Zhōngguóhuà'라는 말도 많이 사용한다.

03 한번보기

谢谢!
감사합니다!
Xièxie!

기본 회화 ① 감사합니다

A 谢谢!
씨에 셰
Xièxie!

B 不客气!
부 커치
Bú kèqi!

A_ 감사합니다.
B_ 천만에요.

01 발음 포인트

'不 bù'도 '一'와 비슷하게 성조 변화를 일으킨다. 즉, '不'의 뒤에 4성이 오면 2성으로 변화하고, 4성을 제외한 성조가 오면 그대로 4성으로 발음된다. 사전에서는 '不'의 성조를 표기할 때 변화된 성조를 표시하지 않지만, 기초 단계의 교재에서는 편의를 위해 변화된 성조로 표시하기도 한다. 우리가 공부하는 이 교재에서는 편의상 '不'와 '一'의 성조 표시를 변화된 성조로 표기하였다.

- 不 bù + 用 yòng ⇒ 不用 bú yòng
- 不 bù + 好 hǎo ⇒ 不好 bù hǎo

01 표현 다지기

중국어에서 감사를 표현할 때 가장 일반적으로 '谢谢 xièxie'를 쓴다. '谢'라는 한자는 '감사'에서 '사'에 해당한다. 동사를 두 번 연달아 쓰는 것, 즉 중첩할 때는 두 번째 음절은 경성으로 읽는다.

'不客气 bú kèqi'는 '천만에요, 별말씀을요.'의 뜻으로 감사에 답하는 겸손한 표현이다. 중국어에서는 이를 상투어(套话)라고 하는데, 단어가 갖는 본 의미 외에 고정된 의미로 쓰인다는 뜻이다. '客气'가 일반적인 표현으로 쓰이는 예는 다음과 같다.

- 他很客气。   그는 아주 예의바르다.
  Tā hěn kèqi.

 生词

不 bù …않다   客气 kèqi 겸손하다, 친절하다, 사양하다

03 감사합니다.

기본 회화 ❷ 수업을 마칠 때

A 씨에 셰 라오스
   谢谢 老师！
   Xièxie lǎoshī!

B 부 씨에   짜이 지엔
   不 谢！ 再见！
   Bú xiè! Zài jiàn!

A_ 선생님, 감사합니다.
B_ 천만에, 잘 가렴.

 生词

再 zài 다시, 또   见 jiàn 보다, 만나다

02 발음 포인트

'再见 zài jiàn'은 성모, 운모, 성조 모두 유의할 필요가 있다.

성모는 'z'와 'j'를 구분해서 혀끝소리와 혓바닥소리의 차이를 느낄 수 있게 발음해야 한다. 운모의 경우 '-ia'에서 'a'는 [æ] 혹은 [e]로 발음된다. 이 때 입은 위아래로 2㎝ 이상 벌려야 하며, 혀끝은 아랫니의 뒤 쪽에 밀착시키는 것이 좋다.

성조가 '4성+4성'일 때, 종종 앞의 4성이 반4성으로 발음되는데, '5-1'이 완전한 4성이라면 '5-3' 정도로 반 정도 하강한다. 다시 말해 '再'는 반 정도 떨어지고, '见'은 완전한 4성으로 발음한다.

- 再见!
  Zài jiàn.

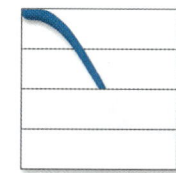 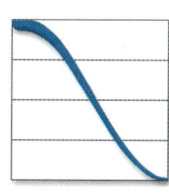

➡ 제4성+제4성이 반4성+4성으로 변화

02 표현 다지기

'谢谢'의 뒤에 고마움을 표시할 사람을 넣어서 말할 수 있다. '不谢 bú xiè'는 '천만에, 뭘요'의 뜻으로 쓰였다.

- 谢谢你。　　　너에게 고마워.
  Xièxie nǐ.

'再见'은 헤어질 때 쓰는 일반적인 말로서, '다시 만나자'라는 문자 그대로의 뜻 외에 '잘 가라', '안녕' 등의 의미로 쓰인다.

03 감사합니다.

기본 회화 ③ 고맙기는요

A 太 感谢 了!
　　타이 간씨에 러
　Tài gǎnxiè le!

B 不用 谢!
　　부 융 씨에
　Bú yòng xiè!

A_ 대단히 감사합니다.
B_ 고맙기는요.

 生词

太 tài 너무
了 le 완료·변화의 조사

感谢 gǎnxiè 감사하다
不用 bú yòng …할 필요가 없다

03 발음 포인트

■ 用 yòng

한어병음을 보고 영어 혹은 우리말 발음하듯이 하면 안 된다. 이 발음은 '용'이 아니다. 입술을 둥글게 하고 앞으로 내민 상태에서 입모양을 '이'를 발음하는 모양에서 시작해서 '웅' 발음까지 연이어 발음해야 한다. 운모 앞에 성모가 결합할 때는 '-iong'로 표기한다.

- 永 yǒng   영원히
- 兄 xiōng   형

03 표현 다지기

'太感谢了 tài gǎnxiè le.'에서 '太…了'는 '너무 …하다'의 뜻이다. 이는 긍정적인 경우와 부정적인 경우에 모두 쓰일 수 있다. 말하는 사람의 주관적인 판단으로 '정도가 지나치다'는 것을 주로 나타낸다. '不太…'는 '별로 …않다'의 뜻이 된다.

- 太好了!
  tài hǎo le!
  대단히 좋다, 너무 좋다!

- 不太好。
  bú tài hǎo.
  별로 좋지 않다.

'不用 bú yòng'은 단독으로 쓰여 '필요 없다, 쓰지 않는다'의 뜻을 가지고 있으며, 뒤에 동사가 연결되면 '…할 필요가 없다'의 뜻을 나타낸다.

- 我不用, 你用!
  Wǒ bú yòng, nǐ yòng!
  나는 필요 없으니, 당신이 쓰세요!

- 不用客气!
  Bú yòng kèqi!
  사양하지 마세요.

03 평가하기

1 다음 한어병음을 읽어 봅시다.

① bú yòng　　② bù hǎo　　③ yǒng　　④ xiōng

2 다음 빈칸에 한어병음과 한자, 한글해석을 써 봅시다.

① 再　　[　　　]　　다시, 또
② 见　　jiàn　　[　　　]
③ 客气　kèqi　　[　　　]
④ 太　　[　　　]　　너무
⑤ [　　　]　gǎnxiè　감사하다
⑥ [　　　]　bú yòng　…할 필요가 없다

3 다음 한어병음 문장에 성조를 붙이고 읽어 봅시다.

① A : Xiexie ni!
　 B : Bu keqi! Bu keqi!

② A : Xiexie laoshi! Zai jian!
　 B : Zai jian!

③ A : Tai ganxie ni le.
　 B : Bu xie! Bu xie!

4 다음 대화하는 장면을 보고 빈칸에 알맞은 한어병음을 써 봅시다.

5 다음 한자를 써 봅시다

| 谢 | 감사하다 xiè | 谢 谢 谢 谢 谢 |

丶 讠 订 诮 诮 谢 谢

| 见 | 보다 jiàn | 见 见 见 见 见 |

丨 冂 贝 见

| 气 | 기, 기분 qì | 气 气 气 气 气 |

丿 𠂉 气 气

2. ① zài   ② 보다   ③ 겸손하다, 사양하다   ④ tài   ⑤ 感谢   ⑥ 不用
3. ① A : Xièxie nǐ!   B : Bú kèqi! Bú kèqi!
   ② A : Xièxie lǎoshī! Zài jiàn!   B : Zài jiàn!
   ③ A : Tài gǎnxiè nǐ le.   B : Bú xiè! Bú xiè!
4. Bú yòng xiè!

03 어휘 플러스

감정을 표현하는 말

기쁘다 高兴 gāoxìng   축하하다 恭喜 gōngxǐ

만족하다 满意 mǎnyì

슬프다 悲哀 bēi'āi   걱정하다 担心 dān xīn   싫어하다 讨厌 tǎoyàn

안심하다 放心 fàng xīn   유감이다 遗憾 yíhàn   괴롭다 难过 nánguò

유쾌하다 愉快 yúkuài   화내다 生气 shēngqì

중국의 인구와 민족

　중국의 인구는 약 13억쯤 된다. 이는 전 세계 인구의 약 4분의 1을 차지하는 수이다. 중국은 폭발적인 인구 증가를 막기 위해 엄격한 산아 제한을 실시하여 한 자녀 갖기 운동을 벌이고 있다.

　중국의 민족은 인구의 92%정도가 한족(汉族 Hànzú)이고 나머지 8%에 쫭족(壮族 Zhuàngzú), 몽고족(蒙古族 Měnggǔzú), 후이족(回族 Huízú), 먀오족(苗族 Miáozú), 조선족(朝鲜族 Cháoxiānzú) 등의 55개 민족이 포함되어 있다. 소수민족 중 가장 큰 비중을 차지하는 쫭족이 전체 인구의 1.33%이고, 가장 적은 뤄바족(珞巴族 Hànzú))은 2,000명이 채 안 될 정도이다. 소수민족은 중국의 민족 정책에 따라 고유의 언어와 문자를 사용하는 등 문화와 풍습을 보존하며 생활한다. 소수민족들은 자치구를 이루고는 있지만, 한족의 폭발적 증가와 대량 이주 정책으로 어느 소수 민족 지역에도 한족이 거주하여 서로 동화되고 있는 실정이다. 그래서 고유의 생활을 지키는 민족은 많지 않다. 실제로 만주족처럼 언어와 문자를 잊고 한족에 거의 동화된 민족도 있다.

▼ 중국의 여러 소수민족

묘족(苗族)

만주족(满族)

위구르족(维吾尔族)

나시족(纳西族)

04 한번 보기

你叫什么名字?

당신의 이름은 무엇입니까?
Nǐ jiào shénme míngzi?

기본 회화 ❶ 이름이 무엇입니까?

A
니 쟈오 션머 밍즈
你 叫 什么 名字?
Nǐ jiào shénme míngzi?

B
워 쟈오 왕 훙
我 叫 王红。
Wǒ jiào Wáng Hóng.

A_ 당신의 이름은 무엇입니까?
B_ 저는 왕홍이라고 합니다.

48

Nǐ jiào shénme míngzi. 04

01 발음 포인트

■ 王 wáng

'왕'이라고 짧게 끝내지 말고, 입모양을 '우'발음에서 시작해서 '아'를 지나 '앙'까지 이어서 한음절로 발음한다. 성모가 앞에 붙으면 '-uang'로 표기한다.

• 黄 huáng 노란색

■ 红 hóng

'-ong' 발음은 성모없이 단독으로 쓰이는 경우 'weng'으로 표기된다. 즉 '우'와 '엉'을 이어서 한 음절로 발음한다. 'hóng'처럼 성모가 있는 경우는 운모가 '우옹'에 가깝게 발음된다. '-ong'를 '옹'으로 발음해서는 안 된다.

01 표현 다지기

다른 사람의 이름을 물어볼 때, 가장 흔히 쓰는 말이 '你叫什么名字?'이다. 이 문장의 뜻은 '당신은 무슨 이름으로 불립니까?'이다. 여기에 사용된 동사 '叫'는 '소리쳐 부르다, (동물이) 짖다'의 뜻을 갖고 있는데 점차 이름을 말할 때 '…라 부르다'의 의미를 갖게 되었다. 의문사 '什么'는 '名字'를 수식하여 '무슨'의 뜻으로 쓰였다.

• 老师叫什么名字? 선생님의 이름은 무엇입니까?
  Lǎoshī jiào shénme míngzi?

 生词

叫 jiào (이름을) …라고 부르다   什么 shénme 무엇, 무슨
名字 míngzi 이름   我 wǒ 나
王红 Wáng Hóng 왕홍(인명)

04 당신의 이름은 무엇입니까?

기본 회화 ② 성이 무엇입니까?

A 你 姓 什么?
　 니 　씽　 션머
　 Nǐ xìng shénme?

B 我 姓 李, 叫 李英美。　　您 贵 姓?
　 워 씽 리 쟈오 리 잉메이　　 닌 꿰이 씽
　 Wǒ xìng Lǐ, jiào Lǐ Yīngměi.　 Nín guì xìng?

A 免贵 姓 金。 我 叫 金大一。
　 미엔꿰이 씽 찐　　 워 쟈오 찐 따이
　 Miǎn guì xìng Jīn.　 Wǒ jiào Jīn Dàyī.

A_ 당신은 성이 무엇입니까?

B_ 저는 이씨이고, 이영미라고 합니다. 당신의 성함은요?

A_ 제 성은 김씨이고, 김대일이라고 합니다.

Nǐ jiào shénme míngzi. **04**

02 발음 포인트

■ **贵 guì**

이 발음을 '꿰'나 '꾸이'로 발음하면 안 된다. 'guì'는 원래 성모 'g'와 '-uei'가 결합된 것인데 표기할 때 'e'를 생략한 것이다. 하지만 실제 발음할 때는 'e'가 중간에 들어가 있는 느낌이 나도록 '우'에서 시작하여 '에이'로 끝나게 발음해야 한다.

■ **您贵姓? Nín guì xìng?**

이 문장은 별도의 의문사나 '吗' 등이 사용되지 않았지만 의문문이다. 이 때 문장의 어조는 상승조가 되므로 '姓 xìng'이 4성이라 해도 끝이 약간 올라가는 느낌으로 읽는다.

02 표현 다지기

'姓'은 동사와 명사로 모두 쓰인다. '姓什么?'에서는 '성이 …이다'의 의미인 동사로 쓰였다. '성이 이씨가 아니다'라고 하려면 '不姓李。'라고 한다.
'您贵姓?'은 중국어에 있는 높임말이다. 중국어에서는 어휘를 달리 사용하여 높임을 나타낸다. '贵'는 우리말에서도 '귀국(貴國)', '귀교(貴校)', '귀사(貴社)'로 쓰이듯이 상대방을 높여 얘기할 때 사용된다. 이 말에 답을 할 때, 예를 갖추어서 '免贵 miǎnguì'를 넣어 답하기도 한다. '免'의 뜻은 '贵'를 뺀다는 뜻이다.
성을 물어 본다고 성만 이야기하는 것이 아니라, 일반적으로 이름까지 다 말하는 경우가 많다.

 生词

姓 xìng 성이 …이다	贵 guì 귀하다(존경의 뜻을 나타내는 말), 비싸다
免 miǎn 면하다, 제거하다	李英美 Lǐ Yīngměi 이영미(인명)
金大一 Jīn Dàyī 김대일(인명)	

04 당신의 이름은 무엇입니까?

기본 회화 ❸ 뭐라고 부르지요?

A 怎么 称呼 你?
　　쩐머　청후　니
Zěnme chēnghu nǐ?

B 我 叫 王红。你 是…?
　워　쟈오　왕 홍　　니 스
Wǒ jiào Wáng Hóng. Nǐ shì ...?

A 我 是 金大一。
　워 스　　찐 따이
Wǒ shì Jīn Dàyī.

A_ 당신을 어떻게 부를까요?
B_ 저는 왕홍이라고 합니다. 당신은…?
A_ 저는 김대일입니다.

生词

怎么 zěnme 어떻게　　称呼 chēnghu 부르다, 일컫다
是 shì …이다, 예

Nǐ jiào shénme míngzi. **04**

03 발음 포인트

■ 是 shì

'是'는 쓰이는 상황에 따라 세게 혹은 약하게 발음된다. 우선 단독으로 쓰여 '예'라는 응답이 될 때는 강하게 읽어 준다. 하지만 '你是……?' 처럼 뒤를 얼버무리는 상황이라면 약하고 또한 길게 읽을 것이다. '我是金大一。'에서 동사 '…이다'로 사용된 경우, 의도적으로 강조하는 것이 아니라면 약하고 짧게 읽는 경우가 많다.

03 표현 다지기

'怎么称呼？'는 이름을 물을 때, 비교적 완곡하게 표현하는 중국인들이 자주 쓰는 표현이다. 즉 '어떻게 불러야 하나요?'의 뜻으로 상대방을 배려한 느낌이 나는 표현이다. 의문사 '怎么'는 '어떻게'라는 방식을 묻는 말이다. 동사와 결합되어 수단·방법을 물을 때 자주 사용된다.

- 怎么用？   어떻게 사용하나요?
  Zěnme yòng?

'是'는 중국어에서 앞뒤 말을 연결하는 역할을 하는데, 흔히 '…이다.'로 해석한다. 이름을 밝힐 때 '叫' 외에 '是'를 쓸 수 있다. 상대방에게 '你是……?'라고만 말해도 이름을 묻거나 누구인지 확인하는 말이 될 수 있다.

잰말놀이

Chī pútao bù tǔ pútaopí, bù chī pútao dào tǔ pútaopí.
吃葡萄不吐葡萄皮，不吃葡萄倒吐葡萄皮。
포도를 먹고 포도 껍질을 안 뱉고, 포도를 먹지 않고 오히려 껍질을 뱉는다.

04 평가하기

1 다음 한어병음을 읽어 봅시다.

① hóng ② wēng ③ zhōng ④ guì

2 다음 빈칸에 한어병음과 한자, 한글해석을 써 봅시다.

① 叫　　　jiào　　　[　　　]
② 什么　　[　　　]　무엇, 무슨
③ [　　　]　xìng　　성이 …이다
④ 名字　　[　　　]　이름
⑤ [　　　]　zěnme　어떻게
⑥ 称呼　　chēnghu　[　　　]

3 그림을 보고 물음에 답해 봅시다.

① A : 你姓什么?　　B : 我姓_____。　　李〇〇

② A : 你叫什么名字?　B : 我叫_____。　　王红

③ A : 我怎么称呼你?　B : 我叫_____。

〇〇公司
金大一
韩国首尔市
010-1111-2222

4 다음 중국어 문장을 확장하여 읽고 뜻을 이해해 봅시다.

名字　　　　　　　　míngzi
什么名字？　　　　　Shénme míngzi?
叫什么名字？　　　　jiào shénme míngzi?
你叫什么名字？　　　Nǐ jiào shénme míngzi?

5 다음 한자를 써 봅시다

贵　귀하다　guì
丶 口 中 虫 虫 虫 贵 贵

么　접미사　me
丿 ㄥ 么

称　부르다　chēng
二 千 禾 利 和 称 称

정답
2. ① 부르다　② shénme　③ 姓　④ míngzi　⑤ 怎么　⑥ 호칭, 부르다
3. ① 我姓李。　② 我叫王红。　③ 我叫金大一.
4. 당신의 이름은 무엇입니까? [당신은 뭐라고 부릅니까?]

55

04 어휘 플러스

색깔(颜色 yánsè)

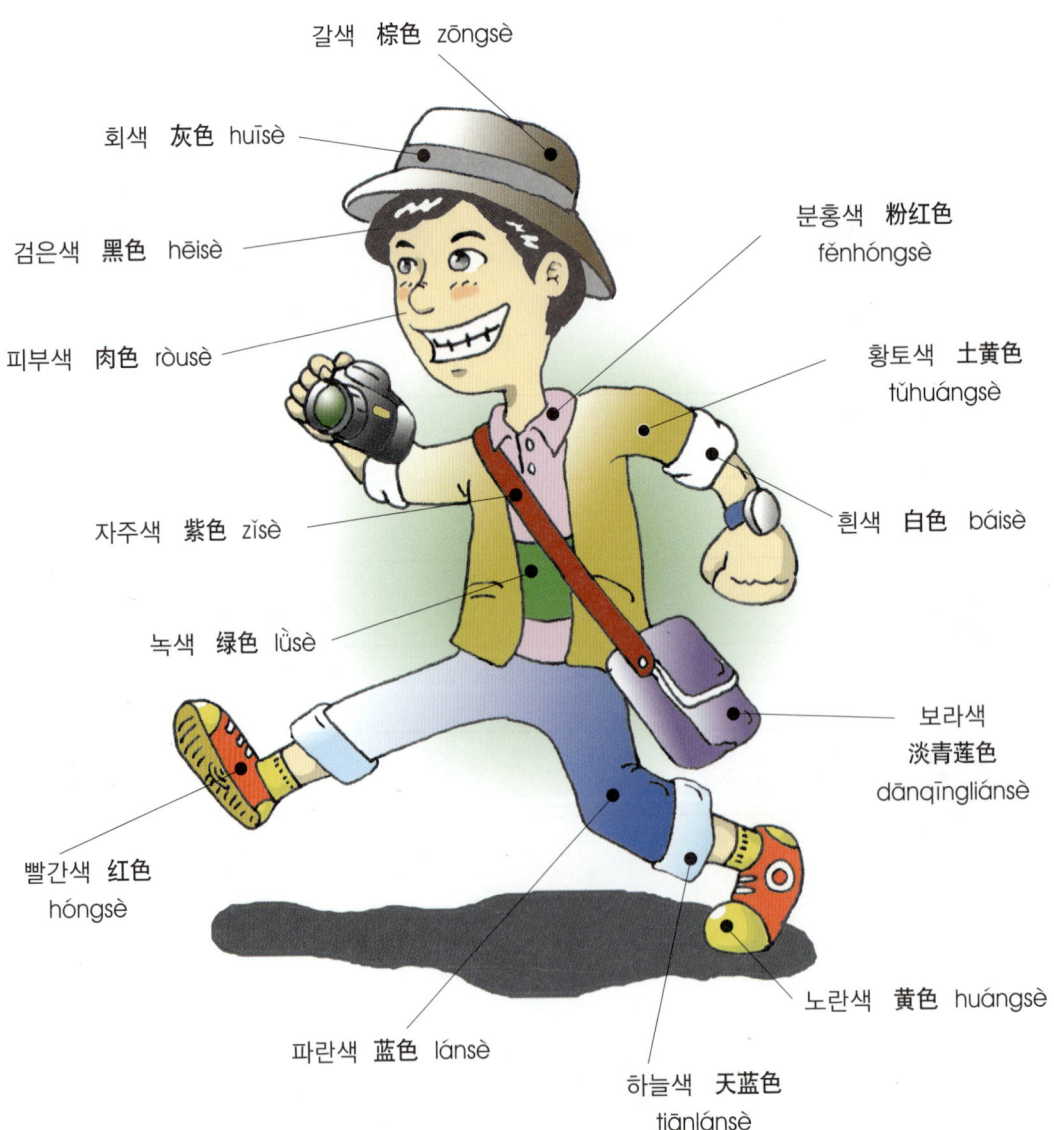

갈색 棕色 zōngsè
회색 灰色 huīsè
검은색 黑色 hēisè
분홍색 粉红色 fěnhóngsè
피부색 肉色 ròusè
황토색 土黄色 tǔhuángsè
흰색 白色 báisè
자주색 紫色 zǐsè
녹색 绿色 lǜsè
보라색 淡青莲色 dānqīngliánsè
빨간색 红色 hóngsè
노란색 黄色 huángsè
파란색 蓝色 lánsè
하늘색 天蓝色 tiānlánsè

중국의 대표적인 성씨 (姓氏)

한국의 대표적 성씨는 '金(김), 李(이), 朴(박)' 등이 있다. 이것을 중국어로 읽으면 'Jīn, Lǐ, Piáo'가 된다. 그렇다면 중국의 성씨는 어떤 것이 있을까? 중국 사람들이 하는 姓과 관계된 말에 '张王李赵遍地流(刘)! Zhāng Wáng Lǐ Zhào biàn dì liú(Liú)!'라는 말이 있다. 이 말은 张씨, 王씨, 李씨, 赵씨가 땅 전체에 널려 있다라는 뜻이다. 글자의 배열이 성조 1·2·3·4성 순서로 되어 있고, 또한 '流'와 '刘'는 같은 발음 'liú'이므로 '刘'씨 또한 많다는 것을 나타내는 재미있는 표현이다.

중국의 《백가성(百家姓)》이라는 책을 보면 200개가 넘는 성(姓)이 소개되어 있고, 그중에는 우리나라 사람의 성씨와 함께 쓰는 것도 많다. 그리고 두 자로 된 성씨도 있는데 이를 '복성(复姓 fùxìng)'이라고 한다. 예를 들면 '사마(司马 Sīmǎ)', '제갈(诸葛 Zhūgě)'과 같은 것이 있다.

05 한번 보기

你是中国人吗?
당신은 중국 사람입니까?
Nǐ shì Zhōngguórén ma?

기본 회화 1 — 저도 한국 사람입니다

A 你是中国人吗?
　 니　스　쭝궈런　마
　 Nǐ shì Zhōngguórén ma?

B 我不是中国人, 是韩国人。
　 워　부스　쭝궈런　스　한궈런
　 Wǒ bú shì Zhōngguórén, shì Hánguórén.

A 我也是韩国人。
　 워　예　스　한궈런
　 Wǒ yě shì Hánguórén.

Hánguó

A_ 당신은 중국 사람입니까?
B_ 저는 중국 사람이 아니고, 한국 사람입니다.
A_ 저도 한국 사람입니다.

01 발음 포인트

'Zhōngguórén', 'Hánguórén'에서 'guórén'은 종종 경성으로 약하게 발음된다. 3음절 단어를 또박또박 읽기 보다는 자연스럽게 읽을 때 약해지는 부분이 있는데, 이 경우는 뒤의 두 음절을 약하게 읽은 것이다. 우리나라 사람들이 국적을 얘기할 때 유난히 'Hán'의 성조를 틀리게 내는 경우가 많다. 이유는 우리말 '한국'에서 '한'이 제4성처럼 툭 떨어지는 경향이 있기 때문에 생기는 것인데, 뒤의 두 음절이 경성화 되었을 때 'Hán'의 성조가 더욱 부각되므로 더욱 정확하게 발음해야 할 필요가 있다.

01 표현 다지기

의문 조사 '吗'는 평서문 문장의 맨 뒤에 넣어서 간편하게 의문문으로 바꾸어 주는 역할을 한다. '吗'를 이용한 의문문의 성격은 평서문 문장의 내용을 확인하듯이 묻는 경우가 많다.

- 老师身体好吗? 선생님 건강이 좋은가요?
  Lǎoshī shēntǐ hǎo ma?

'也'는 주어와 동사 사이에 들어가 '역시'라는 뜻을 나타낸다. 우리말 '나도 그래'는 중국어로 '我也是.'로 표현된다.

- 我也很好。 나도 아주 좋아.
  Wǒ yě hěn hǎo.

 生词

也 yě …도, 역시   中国人 Zhōngguórén 중국인
韩国人 Hánguórén 한국인

05 당신은 중국 사람입니까?

기본 회화 2 어느 나라 사람입니까?

A 你 是 哪国人?
   니 스 나궈런
   Nǐ shì nǎ guó rén?

B 我 是 美国人, 你 呢?
   워 스 메이궈런 니 너
   Wǒ shì Měiguórén, nǐ ne?

A 我 是 日本人
   워 스 르번런
   Wǒ shì Rìběnrén.

A_ 당신은 어느 나라 사람입니까?
B_ 저는 미국 사람입니다. 당신은요?
A_ 저는 일본 사람입니다.

生词

哪 nǎ 어느, 어떤
人 rén 사람
美国人 Měiguórén 미국인

国 guó 나라
呢 ne …는요?(의문 조사)
日本人 Rìběnrén 일본인

02 발음 포인트

'日本人 Rìběnrén'을 잘못 발음하여 '리벤렌'이라고 하는 경우가 있다.

우선 'Rì' 발음은 권설음으로 'i'가 '으'에 가깝게 소리난다. 운모 'en'은 '엔'이 아니라 '으언'에 가까운 소리이다. 마지막으로 주의할 것이 성조인데 제3성과 제2성이 이어질 때, 앞의 제3성을 반3성으로 확실히 내야 한다. 반3성은 '2-1'만 소리나므로 끝에서 상승하는 부분이 있으면 안 된다. '2-1-1'처럼 낮은 음에서 소리를 끌어준 뒤 2성 '3-5'를 연결해야 한다.

- 哪国 nǎ guó 어느 나라
- 美国 Měiguó 미국

02 표현 다지기

의문사 '哪'는 '어느'라고 풀이되는데 단독으로 쓰이지는 않는다. 뒤에 수식받는 말이 수량사 혹은 명사 형식으로 나온다. '什么'에 비해 한정된 범위의 것을 물어본다는 어감이 있다. 따라서 '어느 나라 사람'이라고 물을 때 '什么国人'이라고 하지 않는 것이다.

- 哪一个 nǎ yí ge 어느 것
- 哪个人 nǎ ge rén 어느 사람
- 哪个好? nǎ ge hǎo? 어느 것이 좋을까?

의문 조사 '呢'는 상대방의 말을 이어 간략하게 되물을 때 쓴다.

A : 你好吗?   잘 지내니?
　　Nǐ hǎo ma?

B : 我很好, 你呢?   잘 지내, 너는?
　　Wǒ hěn hǎo, nǐ ne?

A : 我也很好。   나도 잘 지내.
　　Wǒ yě hěn hǎo.

05 당신은 중국 사람입니까?

기본 회화 ③ 모두 중국 사람이군요

A 他 是 中国 学生, 还是 日本 学生?
　　타　스　쭝궈　쉬에셩　하이스　르번　쉬에셩
　Tā shì Zhōngguó xuésheng, háishi Rìběn xuésheng?

B 他 是 中国 学生。
　　타　스　쭝궈　쉬에셩
　Tā shì Zhōngguó xuésheng.

A 是 吗? 你们 都 是 中国人。
　　스 마　니먼　떠우 스　쭝궈런
　Shì ma? Nǐmen dōu shì Zhōngguórén.

A_ 그는 중국 학생입니까? 아니면 일본 학생입니까?
B_ 그는 중국 학생입니다.
A_ 그런가요? 당신들 모두 중국 사람이군요.

03 발음 포인트

'都 dōu'를 발음할 때, 성모 'd'를 우리말 'ㄷ'으로 생각하면 안 된다. '도너츠'의 '도'가 아니라 혀를 긴장시켜 'ㄸ'에 가깝게 내야 한다. 운모 '-ou'도 '오우'가 아니라 '어우'에 가까운 음으로 발음해야 한다.

03 표현 다지기

'还是'는 선택 의문문을 만들어주는 부사이다. 'A还是B' 형식으로 'A인가 아니면 B인가?'의 뜻을 나타낸다. 이 표현은 일상 회화 중에 아주 간편하게 자주 활용되는 문형이다. A, B의 자리에는 단어, 구, 절 모두 올 수 있다.

- 你是韩国人, 还是美国人? 당신은 한국 사람인가요, 아니면 미국 사람인가요?
  Nǐ shì Hánguórén, háishi Měiguórén?

'都'는 총괄의 뜻을 나타내며, '모두'로 해석된다. '都不…'는 '모두 …이지 않다'이고, '不都…'는 '모두 …'인 것은 아니다'의 뜻이다.

- 我们都不是韩国人。 우리는 모두 한국 사람이 아닙니다.
  Wǒmen dōu bú shì Hánguórén.
- 我们不都是韩国人。 우리가 모두 한국 사람인 것은 아닙니다.
  Wǒmen bù dōu shì Hánguórén.

 生词

学生 xuésheng 학생　　还是 háishi 혹은, 아니면
都 dōu 모두

05 평가하기

1 다음 한어병음을 읽어 봅시다.

① Hánguórén   ② Zhōngguórén   ③ nǎ guó   ④ Měiguó

2 다음 빈칸에 한어병음과 한자, 한글해석을 써 봅시다.

①	也		…도, 역시
②		nǎ	어느, 어떤
③		ne	…는요?(의문조사)
④	学生		학생
⑤	还是	háishi	
⑥	都	dōu	

3 다음 한어병음 문장에 성조를 붙이고 읽어 보자.

① A : Ni shi Hanguoren ma?

　B : Shi, wo shi Hanguoren.

② A : Ni shi na guo ren?

　B : Wo shi Zhongguoren.

③ A : Ni shi Zhongguoren haishi Hanguoren.

　B : Wo shi Hanguoren.

4 다음 중국어 문장을 확장하여 읽고 뜻을 이해해 봅시다.

哪国人? nǎ guó rén?
是哪国人? shì nǎ guó rén?
你是哪国人? Nǐ shì nǎ guó rén?

韩国 Hánguó
韩国人 Hánguórén
是韩国人 shì Hánguórén
我是韩国人。 Wǒ shì Hánguórén.

5 다음 한자를 써 봅시다

| 韩 | 한국
Hán | 韩 韩 韩 韩 韩 | | | |
一 十 十 古 卓 훸 韩

| 还 | 아니면
hái | 还 还 还 还 还 | | | |
一 厂 丆 不 不 还 还

| 学 | 배우다
xué | 学 学 学 学 学 | | | |
丶 丷 丷 宀 学 学 学 学

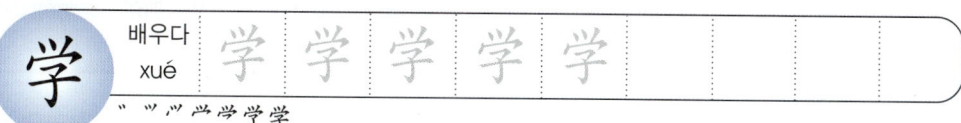

정답
2. ① yě　② 哪　③ 呢　④ xuésheng　⑤ …아니면　⑥ 모두
3. ① A : Nǐ shì Hánguórén ma?　　B : Shì, wǒ shì Hánguórén.
　② A : Nǐ shì nǎ guó rén?　　B : Wǒ shì Zhōngguórén.
　③ A : Nǐ shì Zhōngguórén háishi Hánguórén?　B : Wǒ shì Hánguórén.
4. ① 어느 나라 사람 – 어느 나라 사람입니까? – 당신은 어느 나라 사람입니까?
　② 한국 – 한국 사람 – 한국 사람입니다. – 나는 한국 사람입니다.

05 어휘 플러스

나라 이름(国名 guómíng)

싱가포르
新加坡　Xīnjiāpō

인도
印度　Yìndù

사우디 아라비아
沙特阿拉伯　Shātè Ālābó

캐나다
加拿大　Jiānádà

멕시코
墨西哥　Mòxīgē

아르헨티나
阿根廷　Āgēntíng

우루과이
乌拉圭　Wūlāguī

스페인
西班牙　Xībānyá

프랑스
法国　Fǎguó

체코
捷克　Jiékè

이집트
埃及　Āijí

세네갈
塞内加尔　Sàinèijiā'ěr

베트남　越南　Yuènán　　말레이시아　马来西亚　Mǎláixīyà　　이스라엘　以色列　Yǐsèliè
영국　英国　Yīngguó　　독일　德国　Déguó　　네덜란드　荷兰　Hélán
이탈리아　意大利　Yìdàlì　　포르투갈　葡萄牙　Pútáoyá　　브라질　巴西　Bāxī
호주　澳大利亚　Àodàlìyà　　남아프리카공화국　南非　Nánfēi　　아시아　亚洲　Yàzhōu
유럽　欧洲　Ōuzhōu　　아프리카　非洲　Fēizhōu　　북아메리카　北美洲　Běiměizhōu
남아메리카　南美洲　Nánměizhōu

중국의 국기(国旗)와 국장(国障)

  중국 국기는 오성홍기(五星红旗 wǔxīng hóngqí)로 1949년 공상당정부를 탄생시킨 인민정치협상회의에서 결정되었다. 좌측 상단에 다섯 개의 별이 있는데 이중 가장 큰 별은 중국 공산당을 상징하고, 나머지 네 개의 작은 별은 모택동(毛泽东 Máo Zédōng)이 분류한 노동자, 농민, 도시소자본계급, 민족자산계급을 말한다. 결국 다섯 개의 별은 중국 인민의 대단결을 뜻한다.

  중국 국장은 다섯 개의 별이 천안문을 비추고 그 주위를 이삭과 톱니바퀴가 감싸고 있는 모양을 한 도안이다. 천안문은 중국의 민족정신을 상징하고 톱니바퀴와 이삭은 노동계급과 농민을 의미한다. 다섯 개의 별은 '중국 공산당 영도 하에 국민이 단결한다.'라는 뜻이다.

  별 색깔은 황색, 바탕색은 홍색인데 별의 황색은 중화민족이 황색인종이라는 것을, 바탕의 홍색은 공산당 혁명을 의미한다.

오성홍기

중국 국장

06 한번 보기

你上哪儿?

당신은 어디 갑니까?
Nǐ shàng nǎr?

기본회화 ① 어디에 갑니까?

A 你 上 哪儿?
　니 샹 나알
　Nǐ shàng nǎr?

B 我 上 学校。你 呢?
　워 샹 쉬에샤오 니 너
　Wǒ shàng xuéxiào. Nǐ ne?

A 我 去 书店 买 书。
　워 취 슈디엔 마이 슈
　Wǒ qù shūdiàn mǎi shū.

A_ 당신은 어디 갑니까?
B_ 저는 학교에 갑니다. 당신은요?
A_ 저는 책 사러 서점에 갑니다.

Nǐ shàng nǎr? 06

01 발음 포인트

■ '哪儿'의 '儿'

'儿'은 다른 단어의 뒤에 와서 원래의 단어를 권설음으로 만든다. 이렇게 변화된 권설음을 얼화운(儿化韵)이라고 한다. 이는 중국 북방 색채가 강한 음인데 표준어에서도 점차 많이 사용하고 있다. 표기를 할 때는 끝 음절에 'r'만 더하여 표기하고, 실제 발음은 '-er'을 더하되 마지막 음절이 '-i, -n, -ng'로 끝나는 경우에는 약간의 변화가 일어난다.

- 这 zhè + 儿 ér → 这儿 zhèr
- 一会 yíhuì + 儿 ér → 一会儿 yíhuìr

01 표현 다지기

길에서 만난 아는 사람에게 '어디 가세요?'라고 중국어로 묻는다면 의문사 '어디'와 동사 '가다'가 떠올라야 할 것이다. '어디'에 해당하는 의문사는 '哪儿'을 쓰고 동사는 '上'이나 '去'를 쓸 수 있다. '上'이 '去'보다 일상 회화에서 더 자연스러운 표현이라고 한다. 그리고 중국어의 어순은 의문문이나 평서문이나 달라지지 않는다. '哪儿上?'이 아니라 평서문 어순대로 '上 哪儿?'이라고 하면 된다.

'去'는 '…에 가다'에서 장소를 목적어로 취한다. '去书店买书'는 '책을 사러 서점에 간다' 혹은 '서점에 가서 책을 산다' 두 가지 어느 쪽으로 해석해도 무방하다.

- 我去学校。 나는 학교에 간다.
  Wǒ qù xuéxiào.
- 我去学校看书。 나는 학교에 공부하러 간다.
  Wǒ qù xuéxiào kàn shū.

 生词

上 shàng 가다, …로   哪儿 nǎr 어디   学校 xuéxiào 학교
去 qù 가다   书店 shūdiàn 서점 买 mǎi 사다
书 shū 책   看 kàn 보다, 공부하다

69

06 당신은 어디 갑니까?

기본회화 2 먼가요?

A 到 哪儿?
　　따오　나알
　　Dào nǎr?

B 到 北京饭店, 远不远?
　　따오　베이징 판디엔　위엔 뿌 위엔
　　Dào Běijīng Fàndiàn, yuǎn bu yuǎn?

A 不太 远。
　　부 타이　위엔
　　Bú tài yuǎn.

A_ 어디에 가죠?

B_ 북경호텔로 가요. 멉니까?

A_ 별로 안 멀어요.

 生词

到 dào 도착하다　　　　　远 yuǎn 멀다
饭店 fàndiàn 호텔　　　　北京 Běijīng 북경(지명)

02 발음 포인트

■ 远 yuǎn

이 발음은 입술을 둥글게 만들고 발음을 시작한다. 우리말의 '위엔'이라는 발음을 할 때보다 좀 더 입술을 모아서 둥글게 하고 발음해야 한다. 강세는 'an'에 있는데 중국사람의 발음을 들어보면 '엔'하기도 하고 '안'하기도 한다. 이것은 그 만큼 입을 충분히 벌려서 'an' 발음을 해야 한다는 뜻이다. 이 발음이 성모와 결합하는 경우는 오직 'j,q,x' 뒤에서 뿐이다.

- 元 yuán
- 选 xuǎn

02 표현 다지기

'到'는 동사로 '도착하다, 가다', 전치사로 '…에'로 쓰여 장소와 결합한다.

- 到学校。　　　　학교에 도착하다
  dào xuéxiào.

- 到学校去。　　　학교에 가다
  dào xuéxiào qù.

'远不远?'은 의문사를 사용하지 않는 의문문 중에 '형용사+不+형용사' 형식의 문형이다. 이를 정반 의문문이라고 한다. 뜻은 '…吗?' 의문문과 큰 차이가 없다.

- 好不好?　　　　좋으니 (안 좋으니)?
  hǎo bu hǎo?

'동사+不+동사'도 가능하다.

- 去不去?　　　　가니 (안 가니)?
  qù bu qù?

06 당신은 어디 갑니까?

기본회화 ③ 집은 어디입니까?

A 你家在哪儿?
　니　지아　짜이　날
Nǐ jiā zài nǎr?

B 我家在北京。
　워　지아　짜이　베이징
Wǒ jiā zài Běijīng.

A 你在哪儿学汉语?
　니　짜이　날　쉬에　한위
Nǐ zài nǎr xué Hànyǔ?

B 我在北京大学学汉语。
　워　짜이　베이징 따쉬에　쉬에　한위
Wǒ zài Běijīng Dàxué xué Hànyǔ.

A_ 당신 집은 어디인가요?
B_ 우리 집은 북경입니다.
A_ 당신은 어디에서 중국어를 배웁니까?
B_ 저는 북경대학에서 중국어를 배웁니다.

生词

家 jiā 집　　　　在 zài 있다, …에서　　　学 xué 배우다
汉语 Hànyǔ 중국어　大学 dàxué 대학

03 발음 포인트

■ 大 dà

중국어의 모음 'a'는 우리가 생각하는 이상으로 입을 크게 벌려야 한다. 입을 크게 벌리기 위해서는 아래턱을 내리고 혀끝을 아랫니 뒤쪽에 놓는다. 우리가 한국말을 할 때 입을 크게 벌리지 않는 습관 때문에 중국어 'a'를 발음할 때도 분명하게 'a'발음을 못 내는 경우가 많다. 심지어 중국인들이 듣기에 마치 '어'를 들은 것처럼 발음하기도 한다. 가능한 의식적으로 입을 크게 벌리려는 노력이 필요하다.

- 家 jiā
- 在 zài
- 汉 Hàn

03 표현 다지기

■ 在 zài

'在 zài'는 뒤에 장소를 나타내는 말이 오며, '…에 있다'로 쓰인다.

- 我在学校。 나는 학교에 있다.
  Wǒ zài xuéxiào.

- 我在饭店。 나는 호텔에 있다.
  Wǒ zài fàndiàn.

한편 '在+장소+동사'의 형식에서는 '在'가 전치사가 되어 '…에서'의 뜻을 나타낸다.

- 你在哪儿买书? 너는 어디에서 책을 사니?
  Nǐ zài nǎr mǎi shū?

- 我在学校学汉语。 나는 학교에서 중국어를 배운다.
  Wǒ zài xuéxiào xué Hànyǔ.

06 평가하기

1 다음 한어병음을 읽어 봅시다.

① zhèr   ② yíhuìr   ③ yuǎn   ④ Hàn

2 다음 빈칸에 한어병음과 한자, 한글해석을 써 봅시다.

① 上　　　[　　　]　　가다, …로
② [　　　]　　xuéxiào　　학교
③ 到　　　dào　　　[　　　]
④ 远　　　yuǎn　　[　　　]
⑤ [　　　]　　fàndiàn　　호텔
⑥ 汉语　　[　　　]　　중국어

3 다음 한어병음 문장을 읽고 중국어로 옮겨 봅시다.

① A : Nǐ Shàng nǎr?

　　B : Wǒ shàng shūdiàn.

② A : Nǐ qù nǎr?

　　B : Wǒ qù Běijīng Dàxué.

4 다음 중국어 문장의 표시 된 부분을 바꾸어 읽어 봅시다.

① A：你上哪儿去？

　　B：我上学校。你呢？　　医院　图书馆

② A：你家在哪儿？　　学校　家乡

　　B：我家在北京。

5 다음 한자를 써 봅시다

책 shū

一 乛 书 书

밥 fàn

丿 𠂉 乞 饣 饣 饭 饭

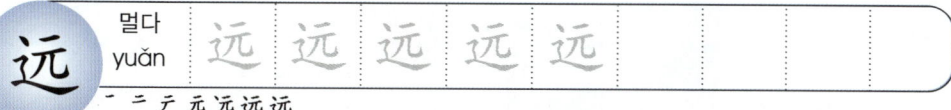

멀다 yuǎn

一 二 ᅮ 元 远 远 远

정답

2. ① shàng　② 学校　③ …는요?(의문 조사)　④ 멀다　⑤ 饭店　⑥ Hànyǔ

3. ① A：你上哪儿？　　B：我上书店。
   ② A：你去哪儿？　　B：我去北京大学。

4. ① A：당신은 어디 갑니까?　　B：학교에 갑니다. 당신은요?
   ② A：당신의 집은 어디입니까?　　B：우리 집은 북경입니다.

　　• 医院 yīyuàn 병원　• 图书馆 túshūguǎn 도서관
　　• 学校 xuéxiào 학교　• 家乡 jiāxiāng 고향

75

06 어휘 플러스

건물·장소(地点 dìdiǎn)

市场 shìchǎng 시장　　　　　商场 shāngchǎng 상가, 아케이드
小卖部 xiǎomàibù 매점　　　 批发 pīfā 도매　　零售 língshòu 소매
超级市场 chāojí shìchǎng 슈퍼마켓　　通宵商店 tōngxiāo shāngdiàn 24시간 편의점

중국의 대중교통

■ 버스(公共汽车 gōnggòng qìchē)

　중국의 버스는 경제 발전과 더불어 다양화 고급화 되어가고 있다. 버스의 외관에는 각종 광고 사진이 현란하게 붙어 있어 중국이 사회주의 국가인가 의심스럽기까지 하다. 버스에는 기사와 요금을 받는 직원이 있다. 일정 거리까지는 기본요금이 적용되고 초과한 거리만큼 요금을 더 내야 한다. 물론 버스의 안내원은 정거장 이름만 대면 바로 얼마라고 대답해 준다. 거리에 상관없이 1위안만 내면 되는 버스도 있지만 에어컨이나 난방장치가 없다.

■ 지하철(地铁 dìtiě)

　북경에는 1960년대 우리나라보다 약 10년 빠르게 지하철이 건설되었다. 세계에서 땅굴파기 일등인 북한의 기술자들이 시공하였다고 한다. 그러나 그 후 경제적으로 더 이상 지하철을 건설할 수 없었는데 개혁개방 정책의 성공과 2008년 북경 올림픽 개최를 앞두고 지상 경전철을 건설하는데 박차를 가하고 있다.

■ 택시(出租汽车 chūzū qìchē)

　중국에는 택시가 매우 흔해서 집을 나서면 바로 택시를 잡을 수 있을 정도이다. 또한 택시 기사가 친절한 편이라 목적지까지 편하게 갈 수 있다. 간혹 나쁜 기사를 만나면 고의로 길을 돌아가곤 하는데 이 때는 내릴 때 영수증을 발급받아 신고하면 된다. 영수증에는 승하차 시간, 승차 거리, 신호 대기시간, 주행거리, 차량번호, 기사의 고유번호 등이 정확하게 기록되어 있다.

　택시요금은 기본요금이 10위안이고 1km 당 1.2위안, 1.6위안, 2.0위안씩 증가하는 세 종류의 택시가 있다. 택시가 좋을수록 비싸다고 보면 된다. 2008년 북경 올림픽을 준비하기 위해 2005년부터 북경시의 모든 택시를 한국의 소나타Ⅲ와 아반떼로 교체하고 있는데, 이로 인해 싼 값의 택시는 사라질 전망이다. 그리고 과거 택시기사를 보호하려고 설치한 택시 안의 안전망은 2005년부터는 점차 사라지게 된다.

07 你现在干什么呢?

당신은 지금 무얼 하십니까?
Nǐ xiànzài gàn shénme ne?

기본 회화 1 지금 무얼 하고 있나요?

A 你 现在 干 什么 呢?
니 시엔짜이 깐 션머 너
Nǐ xiànzài gàn shénme ne?

B 我 在 做 作业 呢。
워 짜이 쭈어 쭈어예 너
Wǒ zài zuò zuòyè ne.

A 你 很 用功。
니 헌 융꿍
Nǐ hěn yònggōng.

A_ 당신은 지금 무얼 하고 있습니까?
B_ 저는 숙제를 하고 있습니다.
A_ 당신 아주 열심히 하는군요.

Nǐ Xiànzài gàn shénme ne? 07

01 발음 포인트

■ 做 zuò

'-uo' 운모는 '우오'가 아니라 '우어'를 붙여서 한 음절로 발음해야 한다. 이것은 '-ou' 운모를 '오우'보다는 '어우'에 가깝게 읽는 것과 같다. 성모 없이 운모만 발음할 때는 'wo'라고 쓴다.

- 作 zuò
- 过 guò
- 我 wǒ

01 표현 다지기

■ 呢 ne

'呢'는 서술문의 끝에 쓰여 동작이나 상태가 계속되고 있음을 표시한다. 보통 '正 zhèng', '正在 zhèngzài', '在 zài', '着 zhe'와 같이 쓰여서 진행의 어감을 나타낸다.

'在 zài'는 동사, 전치사 용법 외에 진행을 나타내는 부사 용법이 있다. 동사의 바로 앞에 나와 '지금 …를 하고 있다'는 뜻이 된다. '正在 zhèngzài'도 같은 용법으로 쓰이며, 문장 끝에는 주로 '呢'가 함께 나온다.

- 我在学汉语呢。　　　　나는 중국어 공부를 하고 있다.
  Wǒ zài xué Hànyǔ ne.

 生词

现在 xiànzài 현재, 지금　　干 gàn 하다　　做 zuò 하다, 만들다
作业 zuòyè 숙제　　　　用功 yònggōng 열심히 하다

79

07 당신은 지금 무얼 하십니까?

기본회화 ② 재미있나요?

A   니 짜이 깐 션머 너
你在干什么呢?
Nǐ zài gàn shénme ne?

B   워 짜이 칸 띠엔잉 너
我在看电影呢。
Wǒ zài kàn diànyǐng ne.

A   요우이쓰 마
有意思吗?
Yǒu yìsi ma?

B   헌 요우이쓰
很有意思。
Hěn yǒu yìsi.

A_ 당신은 무얼 하고 있습니까?

B_ 저는 영화를 보고 있습니다.

A_ 재밌나요?

B_ 아주 재밌습니다.

02 발음 포인트

■ 影 yǐng

yǐng'은 'i'와 'eng'가 결합한 운모이지만 '이엉'이라고 발음하지 않고 '이잉'이라 발음한다. 하지만 중국 사람의 발음을 잘 듣다 보면 약하게 '이응'하는 식으로 들리기도 한다.

- 英 yīng
- 行 xíng

02 표현 다지기

중국어의 '재미있다'라는 표현은 '재미'와 '있다'가 합쳐진 것이다. '意思'는 문맥에 따라 '재미' 또는 '뜻'으로 해석되고, '있다'에 해당하는 동사는 '有'를 쓴다. 그리고 '아주 재미있다'라고 할 경우는 정도를 수식하는 부사 '很'을 쓰면 된다. 주의할 점은 '재미 없다'라고 할 때는 '不有意思'가 아니라 '没有意思'로 '没 méi'를 넣어 부정한다.

- 是什么意思？ 무슨 뜻입니까?
  Shì shénme yìsi?
- 看电影没有意思。 영화 보는 것은 재미가 없다.
  Kàn diànyǐng méiyǒu yìsi.

 生词

电影 diànyǐng 영화   有 yǒu 있다
意思 yìsi 재미, 뜻

07 당신은 지금 무얼 하십니까?

기본회화 ③ 좋아하나요?

A 他现在干什么呢?
   Tā xiànzài gàn shénme ne?

B 他在听音乐呢。
   Tā zài tīng yīnyuè ne.

A 他喜欢听音乐吗?
   Tā xǐhuan tīng yīnyuè ma?

B 很喜欢。
   Hěn xǐhuan.

A_ 그는 지금 무얼 하고 있나요?
B_ 그는 음악을 듣고 있습니다.
A_ 그는 음악 듣는 것을 좋아합니까?
B_ 아주 좋아합니다.

生词

听 tīng 듣다　　　　　　　　　音乐 yīnyuè 음악
喜欢 xǐhuan 좋아하다

03 발음 포인트

'音乐 yīnyuè'에서 운모 'yue'는 '-üe'가 성모 없이 나온 것이다. 우리말 '-위에'처럼 발음되는 것 같으나 운모 'ü'를 발음할 때 입모양을 바꾸지 않는 것에 주의하여 발음한다.

성모가 함께 쓰이는 경우는 '-üe' 또는 '-ue'로 표기한다. 성모 'l, n'와 결합하면 '-üe'로 표기하고, 성모 'j, q, x'와 결합하면 '-ue'로 표기한다.

- 略 lüè
- 觉 jué
- 学 xué

03 표현 다지기

'喜欢 xǐhuan'은 '좋아하다, 마음에 들다'의 의미로 가장 일반적으로 쓰이는 동사이다. 흔히 '好 hǎo'를 '…를 좋아하다'로 잘못 아는 경우가 있는데, 회화 중에는 '好'가 동사로 쓰이는 경우가 거의 없다.

'喜欢'은 단어 혹은 문장을 모두 목적어로 취할 수 있다.

- 我喜欢她。 나는 그녀를 좋아한다.
  Wǒ xǐhuan tā.

- 我喜欢看电影。 나는 영화보는 것을 좋아한다.
  Wǒ xǐhuan kàn diànyǐng.

Zhè shì cán, nà shì chán.
Cán cháng zài yè lǐ cáng, chán cháng zài lín lǐ chàng.
这是蚕, 那是蝉。 蚕常在叶里藏, 蝉常在林里唱。

이것은 누에이고, 저것은 매미이다.
누에는 늘 잎 속에 숨어있고, 매미는 늘 숲속에서 노래한다.

07 평가하기

1 다음 한어병음을 읽어 봅시다.

① yīng　　② zuó　　③ jué　　④ lüè

2 다음 빈칸에 한어병음과 한자, 한글해석을 써 봅시다.

① ☐　　diànyǐng　　영화
② 意思　　☐　　재미, 뜻
③ ☐　　zuòyè　　숙제
④ 用功　　yònggōng　　☐
⑤ 音乐　　☐　　음악
⑥ 喜欢　　xǐhuan　　☐

3 다음 한어병음 문장을 읽고 중국어로 옮겨 봅시다.

① A : Nǐ zài zuò shénme ne?
　　B : Wǒ zài zuò zuòyè ne.

② A : Tā xǐhuan yīnyuè ma?
　　B : Bù, tā xǐhuan kàn diànyǐng

4 다음 중국어 문장의 표시 된 부분을 바꾸어 읽어 봅시다.

① A : 你现在干什么？
　 B : 我在做作业呢。　　听音乐　写字　打电话

② A : 你家在哪儿？
　 B : 我家在北京。　　上海　首尔

5 다음 한자를 써 봅시다

业	일, 업무 yè	业	业	业	业	业			

丨 丨丨 丨丨 业 业

听	듣다 tīng	听	听	听	听	听			

丨 丨 口 叮 听 听 听

欢	기쁘다 huān	欢	欢	欢	欢	欢			

丿 又 又 欢 欢 欢

정답

2. ① 电影　② yìsi　③ 作业　④ 열심히 하다　⑤ yīnyuè　⑥ 좋아하다
3. ① A : 你在做什么呢?　　　　　　　B : 我在做作业呢.
　 ② A : 他(她)喜欢音乐吗?　　　　　B : 不, 他(她)喜欢看电影
4. ① A : 당신은 지금 무얼 하고 있습니까?　B : 저는 숙제를 하고 있습니다.
　 ② A : 당신의 집은 어디입니까?　　　　B : 우리 집은 북경입니다.
　　• 听音乐 tīng yīnyuè 음악듣다　　• 写字 xiě zì 글자를 쓰다
　　• 打电话 dǎ diànhuà 전화하다　　• 上海 Shànghǎi 상해
　　• 首尔 shǒu'ěr 서울

07 어휘 플러스

여러 가지 동작(动作 dòngzuò)

가다 去 qù　　오다 来 lái　　걷다 走 zǒu　　기다 爬 pá

달리다 跑 pǎo　　뛰다 跳 tiào　　서다 站 zhàn　　앉다 坐 zuò

듣다 听 tīng　　말하다 说 shuō　　읽다 读 dú　　쓰다 写 xiě

중국 문화 산책

태극권(太极拳)

　태극권(太极拳 Tàijíquán)은 중국의 명조 말, 청조 초에 허난성(河南省 Hénánshěng)에 거주하던 진씨성(陈氏姓) 일족(一族) 사이에서 창시된 진식(陈式) 태극권에서 유래하였다는 설이 있으나, 그보다는 중국 송나라 말 사람인 장삼봉(张三峰 Zhāng Sānfēng) 진인이 역경(易经)의 태극오행설(太极五行说)과 황제내경소문(皇帝内经素问)의 동양의학, 노자(老子)의 철학사상 등에 기공(气功) 및 양생도인법, 호신술을 절묘하게 조화해 집대성한 것이라는 설이 유력하다.

　창안한 근본목적은 치병 및 건강장수에 있지만 그 수련과정에서 자위(自卫)의 능력이 자연히 생겨나는 체용(体用 : 근본 바탕과 그의 적용)이 겸비된 기예이며 유연하고 완만한 동작 속에 기(气)를 단전에 모아 온몸에 원활하게 유통시키고 오장육부를 강화하는 것이 두드러진 특징이다. 또한 사기종인(舍己从人 : 자기 주장을 버리고 남의 주장에 따름)의 원리를 적용해 상대의 공격에 대항하지 않고 그 힘을 이용해 공격하는데, 타격에는 발경(发劲 : 힘을 집중해 큰 위력을 쏘아냄) 기법을 사용한다. 태극권은 대대로 전해 내려오면서 진식(陈式), 양식(杨式), 오식(吳式), 손식(孙式), 정자(郑子) 등으로 파생하였고, 최근에는 치병과 건신(健身)에 뛰어난 효과가 있다는 사실이 널리 알려져 전세계적으로 유행하게 되었으며, 움직이는 선(禅), 환골금단(换骨金丹), 기공권, 감각권 등의 별명을 가지고 있다.

아침에 태극권을 수련하는 사람들 ▶

08 한번보기

他是谁?

그는 누구입니까?
Tā shì shéi?

기본회화 ① 그는 누구입니까?

A 他是谁?
 타 스 셰이
 Tā shì shéi?

B 他是我的老师。
 타 스 워더 라오스
 Tā shì wǒ de lǎoshī.

A 他教什么?
 타 쟈오 션머
 Tā jiāo shénme?

B 他教英语。
 타 쟈오 잉위
 Tā jiāo Yīngyǔ.

A_ 그는 누구입니까?
B_ 그는 저의 선생님입니다.
A_ 그는 뭘 가르칩니까?
B_ 그는 영어를 가르칩니다.

01 발음 포인트

■ 谁 shéi

'谁 shéi'는 또 다른 발음으로 'shuí'가 있다. 하지만 대부분 'shéi'로 발음하는 것이 일반적이다.

■ 教 jiāo, jiào

'教'는 두 가지 발음이 있는데, 동사로 '…를 가르치다'일 때는 제1성으로 발음되고, 명사 단어에서는 제4성으로 발음된다.

- 她教我们汉语。 그녀는 우리에게 중국어를 가르친다.
  Tā jiāo wǒmen Hànyǔ.
- 教室 jiàoshì 교실   • 指教 zhǐjiào 가르침

01 표현 다지기

■ 的 de

'的'는 'A的B'의 구조에서 A가 B를 수식하는 말임을 나타낸다. 이 때 B는 주로 명사이고, A는 명사, 대명사, 형용사, 동사가 모두 가능하다.

- 我的书 wǒ de shū 나의 책
- 老师的书 lǎoshī de shū 선생님의 책
- 很好的书 hěn hǎo de shū 아주 좋은 책
- 他买的书 tā mǎi de shū 그가 산 책

'A的B'에서 'B'가 생략되면 '的'는 '…것'으로 해석된다.

- 我的 wǒ de 내 것   • 买的 mǎi de 산 것

 生词

谁 shéi 누구   的 de …의, …하는   教 jiāo 가르치다
英语 Yīngyǔ 영어

기본회화 ❷ 그들은 누구의 친구입니까?

A 他们 是 谁的 朋友?
　　타먼　스　셰이 더　펑여우
　Tāmen shì shéi de péngyou?

B 是 我的 朋友。
　스　워 더　펑여우
　Shì wǒ de péngyou.

A 你们 都是 同学 吗?
　니먼　떠우 스　통쉬에　마
　Nǐmen dōu shì tóngxué ma?

B 是的。
　스더
　Shìde.

A_ 그들은 누구의 친구입니까?
B_ 제 친구입니다.
A_ 당신들은 모두 동창입니까?
B_ 그렇습니다.

 生词

朋友　péngyou　친구　　　　　同学　tóngxué　학교 친구
是的　shìde　그렇다

02 발음 포인트

■ 朋友 péngyou

이 단어는 친구라는 두 개의 글자, '朋'과 '友'가 합쳐진 단어이다. 의미적으로 반복이 되었기 때문에 둘째 글자 '友'는 경성이 되었다. '友'의 원래 성조는 3성이다.

- 亲朋好友 qīn péng hǎo yǒu 친한 친구

02 표현 다지기

■ '朋友'와 '同学'

위의 두 단어의 뜻을 살펴보면 중국 사람이 친구라고 할 때 그 범위가 좀 더 크다는 것을 알 수 있다. 중국어의 특성상 높임법이 발달하지 않아 몇 살 차이의 사람끼리는 격이 없이 말할 수 있기 때문에 자신보다 5살 위나 혹은 아래와 모두 '朋友'가 될 수 있다.
우리가 생각하는 학교 친구의 경우는 '同学'이라는 말을 쓴다. 동창, 동급생에 해당되는데, 이 말은 특히 호칭으로도 쓴다. 선생님이 학생을 부를 때 성을 붙여 '李同学'와 같이 말하며 여러 학생을 부를 경우는 '同学们'이라고 한다.

- 我们是朋友。 우리는 친구입니다.
  wǒmen shì péngyou.

- 同学们好！ 반 친구들아 안녕！[학생여러분 안녕하세요!]
  Tóngxuémen hǎo!

잰 말 놀 이

Rènmìng shì rènmìng, rénmíng shì rénmíng.
Rènmìng rénmíng bù néng cuò, cuò le rénmíng cuò rènmìng.
任命是任命，人名是人名。任命人名不能错，错了人名错任命。
임명은 임명이고 인명은 인명이다. 임명과 인명을 틀려서는 안 된다.
인명을 틀리면 임명이 잘못된다.

08 그는 누구입니까?

기본회화 3 그녀는 누구입니까?

A 她是谁?
타 스 셰이
Tā shì shéi?

B 她是我的妈妈。
타 스 워더 마마
Tā shì wǒ de māma.

A 你妈妈工作吗?
니 마마 꽁쭈오 마
Nǐ māma gōngzuò ma?

B 她不工作,是家庭主妇。
타 부 꽁쭈오 스 지아팅 주푸
Tā bù gōngzuò, shì jiātíng zhǔfù.

A_ 그녀는 누구입니까?

B_ 그녀는 저의 엄마입니다.

A_ 당신 어머니는 일을 하십니까?

B_ 일을 하시지 않습니다. 가정주부입니다.

03 발음 포인트

'家庭主妇 jiātíng zhǔfù'는 4음절어인데, 신기하게도 성조의 배열이 1, 2, 3, 4성 순으로 되어 있다. 3, 4음절 짜리 단어에서 성조를 숙달시켜 읽는 연습을 해 보자.

- túshūguǎn 도서관
- zìxíngchē 자전거
- hùxiāng bāngzhù 서로 돕다
- wénhuà jiāoliú 문화교류

03 표현 다지기

■ 我妈妈 wǒ māma

'我妈妈'는 '我的妈妈'라고 할 수 있다. 앞에 대명사가 나오고, 수식받는 말이 가족·친지나 소속 기관일 때 흔히 '的'를 생략하고 쓴다.

- 他妈妈 tā māma 그의 엄마
- 你朋友 nǐ péngyou 너의 친구
- 你们学校 nǐmen xuéxiào 너희 학교

■ 工作 gōngzuò

'工作'는 동사 및 명사 용법이 있다. 이 단어는 우리말 '공작'과 달리 일반적으로 '직장에서 일하다, 업무' 등의 뜻으로 쓰인다.

- 他工作, 我不工作。 그는 일하고, 나는 일하지 않는다.
  Tā gōngzuò, wǒ bù gōngzuò.
- 你做什么工作? 당신은 무슨 일을 합니까?
  Nǐ zuò shénme gōngzuò.

 生词

| 她 tā 그녀 | 妈妈 māma 엄마 |
| 工作 gōngzuò 일하다, 일 | 家庭主妇 jiātíng zhǔfù 가정주부 |

08 평가하기

1 다음 한어병음을 읽어 봅시다.

① shéi ② péngyou ③ zìxíngchē ④ hùxiāng bāngzhu

2 다음 빈칸에 한어병음과 한자, 한글해석을 써 봅시다.

	한자	한어병음	한글해석
①	英语		영어
②	谁	shéi	
③	教		가르치다
④		tóngxué	학교 친구
⑤	妈妈	māma	
⑥		gōngzuò	일하다, 일

3 다음 한어병음 문장을 읽고 중국어로 옮겨 봅시다.

① A : Tā shì shéi?

B : Tā shì wǒ de xuésheng, wǒ jiào tā Hànyǔ.

② A : Nǐmen shì péngyou ma?

B : Shì, wǒmen shì péngyou.

4 다음 중국어 문장의 표시 된 부분을 바꾸어 읽어 봅시다.

① A: 他是谁？　　　B: 他是我的老师。
　 A: 他教什么？　　B: 他教英语。　　　　法语　汉语　日文　德语

② A: 她是谁？
　 B: 她是我妈妈。　　　　　　　　　　　妹妹　姐姐

5 다음 한자를 써 봅시다.

| 谁 | 누구 shéi | 谁 谁 谁 谁 谁 |
| | 丶 讠 讠 讠 诈 诈 谁 谁 | |

| 妈 | 어머니 mā | 妈 妈 妈 妈 妈 |
| | 乚 夊 女 妇 妈 妈 | |

| 妇 | 부녀자 fù | 妇 妇 妇 妇 妇 |
| | 乚 夊 女 妇 妇 | |

정답
2. ① Yīngyǔ　② 누구　③ jiāo　④ 同学　⑤ 엄마　⑥ 工作
3. ① A: 他(她)是谁？　　　B: 他(她)是我的学生, 我教他(她)汉语。
　 ② A: 你们是朋友吗？　　B: 是, 我们是朋友。
4. ① A: 그는 누구입니까?　　　B: 그는 저의 선생님입니다.
　　　A: 그는 뭘 가르칩니까?　B: 그는 영어를 가르칩니다.
　 ② A: 그녀는 누구입니까?　　B: 그녀는 저의 엄마입니다.
　 • 法语 Fǎyǔ 불어　　• 日文 Rìwén 일본어　　• 德语 Déyǔ 독일어
　 • 妹妹 mèimei 여동생　• 姐姐 jiějie 누나, 언니

95

08 어휘 플러스

다양한 직업(职业 zhíyè)

회사원　公司职员　gōngsī zhíyuán

상인　商人　shāngrén

의사　大夫, 医生　dàifu, yīsheng

간호사　护士　hùshi

노동자　工人　gōngrén

경찰관　警察官　jǐngcháguān

농민　农民　nóngmín　　요리사　厨师　chúshī

운전기사　司机　sījī

기자　记者　jìzhě

군인　军人　jūnrén
판매원　售票员　shòupiàoyuán
공무원　公务员　gōngwùyuán
배우　演员　yǎnyuán

경극(京剧)

중국의 대표적인 전통 연극으로 북경(北京)에서 발전하였다 하여 경극(京剧 jīngjù)이라고 하며, 서피(西皮)·이황(二黃) 2가지의 곡조를 기초로 하므로 피황희(皮黃戲)라고도 한다. 14세기부터 성행했던 중국 전통가극인 곤곡(崑曲)의 요소가 가미되어 만들어졌다.

다른 많은 전통극종과 마찬가지로 노래·대사·동작·액션 등으로 구성되는 형식연극으로, 노래가 중시되고 무용에 가까운 동작은 격렬하면서도 아름답다. 호궁과 징·북을 중심으로 한 반주의 선율과 리듬이 극의 기조를 이룬다.

각본은 모두 피황조에 의거한 구성·문체·시형이며, 현존하는 1,000여 종은 대부분이 작자미상이다. 대개는 사전(史傳) 소설과 전설에서 소재를 따거나 원곡과 전기(傳奇)를 개작한 것으로, 《수호전》, 《삼국지연의》등의 부분 각색이 적지 않다. 대표작으로 《팔선과해(八仙過海)》, 《손오공(孫悟空)》, 《백사전(白蛇傳)》, 《패왕별희(覇王別姬)》, 《귀비취주(貴妃醉酒)》 등이 있다.

모두 1시간 내외의 짧은 연극으로 연출과 연기 모두 지극히 서사적인 표현양식을 쓰고, 장치도 없이 상징적인 연기형식에 의하여 상황이나 행동을 나타낸다. 의상은 명(明)나라 때의 복장을 기초로 한 초시대적인 전통극 고유의 것이며, 색과 무늬에 따라 인물의 신분과 직업 등을 알 수 있다. 배역은 크게 생(生 : 주역), 단(旦 : 여자역), 정(淨 : 호걸·악한), 축(丑 : 광대), 말(末 : 단역)으로 나뉘고, 각기 문무(文武)의 2계통 이외에 다시 세분화된다. 정과 축은 배우의 얼굴에 물감으로 선을 그리는데, 유명한 인물의 선을 그리는 형식은 정해져 있다. 노래·대사·춤·액션 등 어느 것에 중점을 둘 것인가 하는 문제는 배역에 따라 결정되며, 배우는 어릴 때부터 소질에 따라 전문적 배역을 익힌다. 이를 위한 양성소를 '과반(科班)'이라 하며 메이란팡 등이 연기를 익힌 부연성(富連成) 등이 유명하다.

09 한번보기

你家有几口人?

당신 집 식구는 몇 명입니까?
Nǐ jiā yǒu jǐ kǒu rén?

기본회화 1 식구가 몇 명입니까?

A 你家有几口人?
   니 지아 요우 지 커우 런
   Nǐ jiā yǒu jǐ kǒu rén?

B 五口人。
   우 커우 런
   Wǔ kǒu rén.

A 都有谁?
   떠우 요우 셰이
   Dōu yǒu shéi?

B 爸爸、妈妈、哥哥、姐姐和我。
   빠바 마마 꺼거 지에제 허 워
   Bàba、māma、gēge、jiějie hé wǒ.

A_ 너희 집은 식구가 몇 명이니?

B_ 다섯 명이야.

A_ 모두 누구누구가 있니?

B_ 아빠, 엄마, 형, 누나 그리고 내가 있어.

98

01 표현 다지기

■ 有几口人? Yǒu jǐ kǒu rén?

식구 수를 물을 때 쓰는 표현이다. '几'는 일반적으로 10 이하의 숫자의 경우에 사용하는 의문사이다. '口'는 식구를 세는 양사로 쓰인다. 중국어는 각 명사를 셀 때 어울리는 양사가 정해져 있다. 양사가 다양하게 발달해 있는 것이 중국어의 특징이다.

- 我家有两口人。   우리 집은 식구가 둘이다.
  Wǒ jiā yǒu liǎng kǒu rén.

■ 和 hé

'…와, 그리고'에 해당하는 접속사이다. 명사, 대명사, 명사화된 동사, 형용사 등을 연결할 수 있다. 이 때 병렬되는 것이 둘일 경우에는 둘 사이에, 셋 이상일 경우에는 마지막 둘 사이에 위치한다.

- 我和他都是韩国人。   나와 그 사람은 모두 한국 사람이다.
  Wǒ hé tā dōu shì Hánguórén.

 生词

| 几 jǐ 몇 | 口 kǒu …사람(식구 수) | 爸爸 bàba 아빠 |
| 哥哥 gēge 형, 오빠 | 姐姐 jiějie 누나, 언니 | 和 hé …와 |

09 당신 집은 식구가 몇 명입니까?

기본회화 2 아버지는 무슨 일을 하세요?

A 你家有几口人?
  니 지아 여우 지 커우 런
  Nǐ jiā yǒu jǐ kǒu rén?

B 六口人。爸爸、妈妈、弟弟、两个 妹妹 和 我。
  리우 커우 런 빠바 마마 띠디 량 거 메이메이 허 워
  Liù kǒu rén. Bàba、māma、dìdi、liǎng ge mèimei hé wǒ.

A 你爸爸 是 做 什么 工作的?
  니 빠바 스 쭈어 션머 꽁쭈어 더
  Nǐ bàba shì zuò shénme gōngzuò de?

B 他 是 大夫。
  타 스 따이푸
  Tā shì dàifu.

> A_ 너희 집은 식구가 몇 명이니?
> B_ 여섯 명이야. 아빠, 엄마, 남동생, 여동생 둘, 그리고 나야.
> A_ 너희 아버지는 무슨 일을 하시니?
> B_ 아빠는 의사셔.

02 표현 다지기

■ 是做什么工作的？ Shì zuò shénme gōngzuò de?

직업을 묻는 표현이다. '做工作'는 '일을 하다'로 '工作'가 명사로 쓰였다. '什么工作'는 '무슨 일'로, '什么'가 '工作'를 수식하며 '什么名字(무슨 이름)'과 같은 구조이다.
'是~的'는 '的' 뒤에 명사가 생략된 것으로 보아 직업을 나타낼 수 있다.

- 他是做买卖的。 그는 장사하는 사람이다.
  Tā shì zuò mǎimài de.

직업을 묻는 또 다른 표현에 '在哪儿工作?' 즉, '어디에서 일합니까?'가 있다.

- 你爸爸在哪儿工作？ 너희 아빠는 어디서 일하시니?
  Nǐ bàba zài nǎr gōngzuò?

 生词

弟弟 dìdi 남동생	妹妹 mèimei 여동생
大夫 dàifu 의사	

09 당신 집은 식구가 몇 명입니까?

기본회화 ③ 할아버지의 연세가 어떻게 되세요?

A 你家有几口?
Nǐ jiā yǒu jǐ kǒu?

B 五口。 爷爷、奶奶、爸爸、妈妈 和 我。
Wǔ kǒu. Yéye, nǎinai, bàba, māma hé wǒ.

A 你 爷爷, 奶奶 多大 年纪 了?
Nǐ yéye, nǎinai duōdà niánjì le?

B 爷爷 六十九 岁, 奶奶 六十八 岁。
Yéye liùshíjiǔ suì, nǎinai liùshíbā suì.

A_ 너희 집은 식구가 몇이니?

B_ 다섯이야. 할아버지, 할머니, 아빠, 엄마 그리고 나야.

A_ 너희 할아버지, 할머니는 연세가 얼마시니?

B_ 할아버지는 예순 아홉, 할머니는 예순 여덟이셔.

Nǐ jiā yǒu jǐ kǒu rén? 09

03 표현 다지기

■ 多大年纪了? Duōdà niánjì le?

나이를 묻는 표현 중에 연장자에게 쓸 수 있는 표현이다. '多大了?'가 '나이를 얼마나 먹었니?' 인데, '연세'에 해당하는 '年纪'를 같이 말하면 높임말이 된다. 손아랫 사람 혹은 어린 아이에게는 '几岁了?'라고 물을 수 있다.

- 你妈妈多大年纪了? 너희 엄마는 연세가 얼마시니?
  Nǐ māma duōdà niánjì le?

- 你哥哥多大了? 너희 형은 나이가 몇 살이니?
  Nǐ gēge duōdà le?

- 你妹妹几岁了? 너희 여동생은 몇 살이니?
  Nǐ mèimei jǐ suì le?

잰 말 놀 이

Yì duǒ fěnhóng dà héhuā, pāzhe yì zhī huó hámá.
Bā duǒ fěnhóng dà héhuā, pāzhe bā zhī huó hámá.
一朵粉红大荷花, 趴着一只活蛤蟆。 八朵粉红大荷花, 趴着八只活蛤蟆。
한 송이 분홍 커다란 연꽃에, 한 마리 두꺼비가 엎드려 있네.
여덟 송이 분홍 커다란 연꽃에, 여덟 마리 두꺼비가 엎드려 있네.

 生词

爷爷 yéye 할아버지   奶奶 nǎinai 할머니
多大 duō dà 몇 살입니까?   年纪 niánjì 나이, 연세
岁 suì …세, 살

103

09 평가하기

1 다음 한어병음을 읽어 봅시다.

① dàifu   ② jiějie   ③ yéye   ④ nǎinai

2 다음 빈칸에 한어병음과 한자, 한글해석을 써 봅시다.

① 几　　　　jǐ　　　　[　　]
② [　　]　　hé　　　　…와
③ 大夫　　 [　　]　　 의사
④ 多大　　 duōdà　　 [　　]
⑤ [　　]　　niánjì　　 나이, 연세
⑥ 岁　　　 [　　]　　 세, 살

3 다음 한어병음 문장을 읽고 중국어로 옮겨 봅시다.

① A : Nǐ jiā yǒu jǐ kǒu rén?

B : Wǔ kǒu rén, bàba, māma, gēge, mèimei hé wǒ.

② A : Nǐ bàba duōdà niánjì le?

B : Tā wǔshíbā suì.

104

4 다음 중국어 문장의 표시 된 부분을 바꾸어 읽어 봅시다.

① A : 你家都有谁？
　B : 爸爸、妈妈、哥哥、和我。　　奶奶　姐姐　叔叔

② A : 你爷爷多大年纪了？　　阿姨　妹妹
　B : 爷爷六十九岁。　　四十三　二十五

5 다음 한자를 써 봅시다

| 爷 | 조부 yé | 爷 爷 爷 爷 爷 |
| | | ノ 八 父 父 爷 爷 |

| 纪 | 기 jì | 纪 纪 纪 纪 纪 |
| | | ノ 幺 纟 纪 纪 纪 |

| 岁 | 세, …살 suì | 岁 岁 岁 岁 岁 |
| | | 丨 山 屵 岁 岁 岁 |

정답
2. ① 몇　② 和　③ dàifu　④ 몇 살입니까?　⑤ 年纪　⑥ suì
3. ① A : 你家有几口人？　　B : 五口人，爸爸、妈妈哥哥、妹妹和我。
　② A : 你爸爸多大年纪了？　B : 他五十八岁。
4. ① A : 당신 댁에는 누가 계십니까?
　　B : 아버지, 어머니, 형(오빠)와 저입니다.
　② A : 당신 할아버지는 연세가 어떻게 되십니까?　B : 할아버지는 69세이십니다.
　· 奶奶 nǎinai 할머니　· 叔叔 shūshu 삼촌　· 阿姨 āyí 이모　· 妹妹 mèimei 여동생

105

09 어휘 플러스

가족, 친족 관련 용어

여동생 妹妹 mèimei
나 我 wǒ
남동생 弟弟 dìdi
오빠, 형 哥哥 gēge
언니, 누나 姐姐 jiějie
아버지 爹 diē
할아버지 爷爷 yéye
할머니 奶奶 nǎinai
어머니 娘 niáng

姑姑 gūgu 고모	姨(妈) yí(mā) 이모	叔叔 shūshu 삼촌
婶婶 shēnshen 숙모	舅舅 jiùjiu 외삼촌	舅母 jiùmǔ 외숙모
公公 gōnggong 시아버지	婆婆 pópo 시어머니	外公 wàigōng 외할아버지
外婆 wàipó 외할머니	媳妇 xífù 며느리	女婿 nǚxù 사위
孙子 sūnzi 손자	孙女 sūnnǚ 손녀	亲家 qīnjiā 사돈

소황제(小皇帝)

소황제(小皇帝 xiǎo huángdì)는 1980년 한 자녀 낳기 운동이 본격화 된 이후 태어나 부모의 과보호 속에서 성장한 '귀한 외둥이'들을 말한다. 1979년 12월 덩샤오핑(邓小平)이 착수한 '독생자녀제(独生子女制·1가구1자녀 낳기)'가 그 유래이며 출발이다.

이들 소황제는 뛰어난 창의성 등 긍정적인 측면도 있지만 부모의 과보호 속에서 자라나 이기적이고 독선적이며 단체생활에 적응하지 못한다는 부정적인 비판을 더 많이 받고 자라온 세대다.

이들은 부모처럼 문화대혁명과 같은 비극적인 역사를 겪지 않은데다 개혁·개방 정책 속에 성장해왔기 때문에 소비성향이나 생활방식 등이 기존 세대와는 매우 다르다. 최신 유행을 쫓으며 할리우드의 블록버스터 영화 등 서구문화를 선호하고 스포츠, 주식투자 등에 관심이 많다. 이들은 또 고품질 소비를 추구하며 구매력 또한 매우 강하다.

이들 소황제 중 '매월 받는 월급(月)을 모두 써버린다(光)'는 이른바 '월광족(月光族)'이 최근 새롭게 부상 중이기도 하다. 자신의 월급을 모두 고급화장품 및 옷을 사들이는 데 소비하고 예금통장에 잔고가 없으며 각종 회원카드가 지갑을 차지하는 것이 특징인 이들 월광족은 소황제 중 가장 강력한 소비성향을 보이는 집단이다.

10 한번 보기

今天几号?

오늘은 며칠입니까?
Jīntiān jǐ hào?

기본회화 1 오늘은 며칠입니까?

A 찐티엔 지 하오
今天 几 号?
Jīntiān jǐ hào?

B 찐티엔 쓰 위에 싼스 하오
今天 四 月 三十 号。
Jīntiān sì yuè sānshí hào.

A 씽치 지
星期 几?
Xīngqī jǐ?

B 씽치티엔
星期天。
Xīngqītiān.

A_ 오늘 며칠이니?
B_ 오늘은 사월 삼십일이야.
A_ 무슨 요일이지?
B_ 일요일이야.

01 표현 다지기

■ 今天几号? Jīntiān jǐ hào?

날짜를 물을 때 쓰는 가장 일반적인 표현이다. '号 hào'는 '日 rì'보다 다소 구어적인 성격이 강하며, 달까지 물을 때는 '几月几号? jǐ yuè jǐ hào?', '几月几日? jǐ yuè jǐ rì?'를 쓸 수 있다.
'今天几号?'는 '今天是几号? Jīntiān shì jǐ hào?' 문장과 의미가 같으며, '是 shì'를 생략하고 말하는 것이 더 자연스럽다.

■ 星期几? Xīngqī jǐ?

중국어로 요일을 물을 때는 우리말 '무슨 요일'처럼 '什么星期'라고 해서는 안 된다. 대신에 '몇 요일'에 해당하는 '星期几'로 표현한다. 그 이유는 중국어에서는 숫자로 요일을 나타내기 때문이다. 월요일은 첫째 날이라서 '星期一'이고, 화요일부터 토요일까지는 '星期二, 星期三, 星期四, 星期五, 星期六'가 된다. 다만 일요일은 '星期七'이 아니라 '星期天 xīngqītiān' 또는 '星期日 xīngqīrì'라고 한다.

生词

今天 jīntiān 오늘   号 hào 일(날)   月 yuè 월(달)
星期 xīngqī 주, 요일   星期天 xīngqītiān 일요일

10 오늘은 며칠입니까?

기본회화 ❷ 당신의 생일은 며칠입니까?

A 你的生日是几号?
<small>니 더 셩르 스 지 하오</small>
Nǐ de shēngrì shì jǐ hào?

B 十五号,那天你来我家玩儿吧。
<small>스우 하오 나티엔 니 라이 워 지아 왈 바</small>
Shíwǔ hào, nà tiān nǐ lái wǒ jiā wánr ba.

A 几点去呢?
<small>지 디엔 취 너</small>
Jǐ diǎn qù ne?

B 下午五点。
<small>시아우 우 디엔</small>
Xiàwǔ wǔ diǎn.

A_ 네 생일은 며칠이니?

B_ 15일이야. 그 날 너 우리 집에 놀러 오렴.

A_ 몇 시에 갈까?

B_ 오후 5시로 해.

02 표현 다지기

■ 吧 ba

문장 끝에 쓰여 제의, 청구, 명령을 표시하며, 우리말에서는 '…하자'로 해석하면 적당하다. 중국어는 별도의 표시 없이 동사만으로 명령을 나타낼 수 있는데, '吧'를 붙여주면 부드러운 어감을 나타낸다.

- 你去! 너는 가거라.
  Nǐ qù!

- 你去吧! 너는 가렴.
  Nǐ qù ba.

■ 几点去呢? Jǐ diǎn qù ne?

'点'은 시간에서 '…시(時)'를 나타내는 말이다. 우리말의 '시(时 shí)'를 쓰지 않고, '점(点 diǎn)'을 쓴다.

어순을 살펴보면 때를 나타내는 말이 동사의 앞에 들어감을 알 수 있다. 문장에 주어가 있을 때는 주어의 앞 혹은 뒤 모두 가능하다.

- 我星期三三点去。 나는 수요일 세 시에 간다.
  Wǒ xīngqīsān sān diǎn qù.

- 星期三三点我去。 수요일 세 시에 나는 간다.
  Xīngqīsān sān diǎn wǒ qù.

 生词

生日 shēngrì 생일	那 nà 그, 저, 그럼	天 tiān 날
来 lái 오다	玩儿 wánr 놀다	吧 ba …하자(청유)
点 diǎn …시	去 qù 가다	下午 xiàwǔ 오후

기본회화 ❸ 지금은 몇 시입니까?

A 现在 几 点 了?
시엔짜이 지 디엔 러
Xiànzài jǐ diǎn le?

B 两 点 四 十 分。
량 디엔 쓰스 펀
Liǎng diǎn sìshí fēn.

A 三 点 我 有 事。我 先 走 了。再见!
싼 디엔 워 여우 스   워 시엔 저우 러   짜이 지엔
Sān diǎn wǒ yǒu shì. Wǒ xiān zǒu le.   Zài jiàn!

B 再见!
짜이 지엔
Zài jiàn!

A_ 지금 몇 시니?

B_ 두 시 사십 분이야.

A_ 세 시에 내가 일이 있어서, 먼저 갈게. 안녕!

B_ 안녕!

03 표현 다지기

■ 两点 liǎng diǎn

2시라고 할 때 '二'을 쓰지 않고 '两'을 쓴다. 12시의 경우는 '十二点 shí'èr diǎn'이 맞다. 이는 습관에 의한 것이므로 일일이 이유를 알아야 하는 것은 아니다. 분 단위의 경우는 2분은 '(零)二分 líng èr fēn', 12분은 '十二分 shí'èr fēn'이라고 한다.

■ 先走了 xiān zǒu le

'先'은 '먼저'라는 의미의 부사이다.

- 你先去吧。　　　당신 먼저 가시오.
  Nǐ xiān qù ba.

'走'는 '가다'라는 의미로 해석되는데 '去'와 차이점이 있다. '走'의 본래 의미는 '걸어가다'이며, 다음으로 많이 쓰이는 의미는 '떠나다'이다. 즉 원래 있던 자리에서 떠나간다는 의미로 많이 쓰인다. 이에 비해 '去'는 '어느 목적지로 향해 간다'라는 의미가 강하다.

| 分 fēn 분 | 事 shì 일 | 先 xiān 먼저 |
| 走 zǒu 걷다, 떠나다 | | |

10 평가하기

1 다음 한어병음을 읽어 봅시다.

① xīngqītiān　② shēngrì　③ wánr　④ xiànzài

2 다음 빈칸에 한어병음과 한자, 한글해석을 써 봅시다.

①	今天	jīntiān	
②		xīngqī	주, 요일
③	去		가다
④	下午		오후
⑤		shì	일
⑥	先	xiān	

3 다음 한어병음 문장을 읽고 중국어로 옮겨 봅시다.

① A : Jīntiān xīngqī jǐ?

　B : Xīngqī sì.

② A : Xiànzài jǐ diǎn le?

　B : Bā diǎn shí fēn.

4 아래의 시계를 보고 시간을 말해 봅시다.

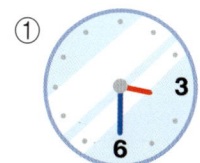  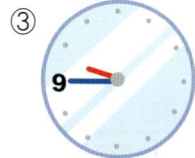

5 달력에 표기된 행사일이 각각 몇 월 며칠 무슨 요일인지 중국어로 적어 보자.

① _____

② _____

③ _____

6 다음 한자를 써 봅시다

号	번호 hào	号 号 号 号 号

丨 口 口 므 号

| 点 | 점, 약간 diǎn | 点 点 点 点 点 |

丨 卜 占 占 点 点 点

| 现 | 현재 xiàn | 现 现 现 现 现 |

一 = ‡ 王 玑 现 现

정답

2. ① 오늘 ② 星期 ③ qù ④ xiàwǔ ⑤ 事 ⑥ 먼저
3. ① A : 今天星期几? B : 星期四. ② A : 现在几点了? B : 八点十分.
4. ① 三点半(三十分) ② 十二点二十五分 ③ 九点四十五分 [差一刻十点]
5. ① 六月六号 ② 六月十七号 ③ 六月二十九号

10 어휘 플러스

시간을 나타내는 말

■ 하루 一天 yìtiān

아침	오전	정오	오후	저녁	밤
早上 zǎoshang	上午 shàngwǔ	中午 zhōngwǔ	下午 xiàwǔ	晚上 wǎnshang	夜晚 yèwǎn

■ 일 天 tiān

그저께	어제	오늘	내일	모레
前天 qiántiān	昨天 zuótiān	今天 jīntiān	明天 míngtiān	后天 hòutiān

* 그그저께 大前天 dàqiántiān　　글피 大后天 dàhòutiān

■ 주 星期 xīngqī

지난 주	이번 주	다음 주
上星期 shàng xīngqī	这星期 zhè xīngqī	下星期 xià xīngqī

* 지지난 주 上上个星期 shàng shàng ge xīngqī　　다다음 주 下下个星期 xià xià ge xīngqī

■ 월 月 yuè

지난 달	이번 달	다음 달
上个月 shàng ge yuè	这个月(本月) zhè ge yuè	下个月 xià ge yuè

* 지지난 달 上上个月 shàng shàng ge yuè　　다다음 달 下下个月 xià xià ge yuè

■ 년 年 nián

재작년	작년	금년, 올해	내년	후년
前年 qiánnián	去年 qùnián	今年 jīnnián	明年 míngnián	后年 hòunián

* 재재작년 大前年 dàqiánnián　　내후년 大后年 dàhòunián

중국의 명승고적 Ⅰ

■ 고궁(자금성 紫禁城 Zǐjìnchéng)

자금(紫禁)이란 북두성(北斗星)의 북쪽에 위치한 자금성이 천자가 거처하는 곳이라는 데서 유래된 말로, 북경의 내성(內城) 중앙에 위치한다. 1407년 명나라의 영락제(永樂帝)가 남경(南京)에서 북경으로 천도할 때부터 건립하여 1420년에 완성하였다. 자금성은 세워진 그날부터 중국봉건사회가 멸망하던 날까지 황제들이 머물렀던 궁전으로 명, 청시대의 24명의 황제가 이곳에서 살았다. 자금성은 그 방 수가 9999칸에 달하여 갓난아기가 궁내 방에서 하루밤씩 자더라도 27살이 된다는, 세계에서 제일 큰 황궁으로 알려져 있다.

■ 만리장성(长城 Chángchéng)

동쪽 산하이관(山海关 Shānhǎiguān)에서 서쪽 자위관(嘉峪关 Jiāyùguān)에 이르며, 지도상의 총연장은 약 2,700km이나 실제는 5,000km에 이른다. 장성의 기원은 춘추시대의 제(齊)에서 비롯되어 전국시대에는 연(燕)·조(趙)·위(魏)·초(楚) 등 여러 나라가 장성을 구축하였다.

장성이 산하이관에서 자위관에 이르는 현재의 규모를 갖춘 것은 명대(明代)에 들어와서이다. 청대(淸代) 이후에는 군사적 의의를 상실하고, 단지 중국 본토와 둥베이(东北 : dōngběi 만주)·몽골 지역을 나누는 정치·행정적인 경계선에 불과하게 되었다. 축성 재료는 햇볕에 말린 벽돌과 전(塼)·돌 등이며, 성벽은 높이 6~9m, 폭은 상부 4.5m, 기부(基部) 9m이다. 유네스코 세계유산목록에 수록되어 있다.

11 한번보기

你有空吗?

시간 있습니까?
Nǐ yǒu kòng ma?

기본회화 1 오늘 저녁에 시간 있습니까?

A
찐티엔 완샹 니 여우 콩 마
今天晚上你有空吗?
Jīntiān wǎnshang nǐ yǒu kòng ma?

B
여우 콩   니 여우 션머 스 마
有空。 你有什么事吗?
Yǒu kòng. Nǐ yǒu shénme shì ma?

A
워 여우 량 장 띠엔잉퍄오   워먼 이치 취 칸 하오 마
我有两张电影票, 我们一起去看, 好吗?
Wǒ yǒu liǎng zhāng diànyǐngpiào, Wǒmen yìqǐ qù kàn, hǎo ma?

B
나 타이 하오 러
那太好了。
Nà tài hǎo le.

A_ 오늘 저녁에 너 시간 있니?
B_ 시간 있어, 너 무슨 일 있니?
A_ 내게 영화표 두 장이 있는데, 우리 같이 가는 거 어때?
B_ 그거 정말 좋아.

Nǐ yǒu kòng ma?

01 표현 다지기

■ **你有空吗?** Nǐ yǒu kòng ma?

'空'은 본래 '비는 틈, 짬'이라는 뜻인데 여기에서 '시간'이라는 의미가 파생되었다. 여기에서는 '시간'의 의미로 쓰였다. 위 문장을 '你有时间吗?'라고 물어도 된다. '空'은 '空儿' 형태로 '儿化'시켜서 말하는 경우가 많다.

A : **你有没有空儿?** 너 시간 있니?
  Nǐ yǒu mei yǒu kòngr?

B : **我没空儿。** 나 시간 없어.
  Wǒ méi kòngr.

■ **你有什么事吗?** Nǐ yǒu shénme shì ma?

일반적으로 의문사가 사용된 문장에는 '吗'가 함께 쓰일 수 없다. 하지만 사용된 의문사가 의문의 뜻이 아니라 '확정적이지 않은 무엇'을 나타낼 때는 상관이 없이 사용할 수 있다.

• **你喜欢谁?** 너 누구를 좋아하지?
  Nǐ xǐhuan shéi?

• **你喜欢谁吗?** 너 누군가를 좋아하는 거니?
  Nǐ xǐhuan shéi ma?

生词

晚上 wǎnshang 저녁
票 piào 표
一起 yìqǐ 함께

空 kòng 짬, 시간
张 zhāng …장(평평한 물건을 세는 양사)

11 시간 있습니까?

기본회화 2 당신은 바쁜가요?

A 今天我想请客。你忙不忙?
찐티엔 워 샹 칭커 니 망뿌망
Jīntiān wǒ xiǎng qǐng kè. Nǐ máng bu máng?

B 今天有点儿忙。
찐티엔 여우 디얼 망
Jīntiān yǒudiǎnr máng.

A 明天怎么样?
밍티엔 쩐머양
Míngtiān zěnmeyàng?

B 行。
씽
Xíng.

A_ 오늘 내가 식사대접을 하고 싶은데, 당신 바빠요?

B_ 오늘은 조금 바빠요.

A_ 내일은 어때요?

B_ 괜찮아요.

02 표현 다지기

■ 我想请客 Wǒ xiǎng qǐng kè

'想'은 조동사로 '…하고 싶다'와 동사 '생각하다'의 용법이 있다.

- 我想去。　　　　　나는 가고 싶다.
  Wǒ xiǎng qù.

- 我想他去。　　　　나는 그가 갈 거라고 생각한다.
  Wǒ xiǎng tā qù.

'请客'에서 '请'은 '청하다, 한턱 내다'라는 의미를 가진다. '请你的客'라고 하면 '당신에게 한턱 내다'라는 뜻이 된다.

■ 有点儿 yǒudiǎnr

'좀, 약간'의 뜻으로 쓰이는 부사이다. 이 부사 용법은 주로 부정적인 경우에 많이 쓴다.

- A：你身体怎么样？　　너 건강이 어떻니?
  Nǐ shēntǐ zěnmeyàng?

- B：有点儿不好。　　　약간 안 좋아.
  Yǒu diǎnr bù hǎo.

 生词

想 xiǎng …하고 싶다, 생각하다		请 qǐng 부탁하다	明天 míngtiān 내일
忙 máng 바쁘다		有点儿 yǒudiǎnr 약간, 조금	
怎么样 zěnmeyàng 어떻니?		行 xíng 좋다	

기본회화 ③ 토요일에 시간 있습니까?

A 星期六你有没有空?
씽치리우 니 여우 메이 여우 콩
Xīngqīliù nǐ yǒu mei yǒu kòng?

B 对不起, 我没有时间。
뛔이부치 워 메이 여우 스지엔
Duìbuqǐ, wǒ méiyǒu shíjiān.

A 没关系, 星期天可以吗?
메이꾸안씨 씽치티엔 커이 마
Méi guānxi, xīngqītiān kěyǐ ma?

B 星期天可以。
씽치티엔 커이
Xīngqītiān kěyǐ.

A_ 토요일에 너 시간 있니?
B_ 미안해, 나 시간이 없어.
A_ 상관 없어, 일요일은 괜찮니?
B_ 일요일은 괜찮아.

03 표현 다지기

■ 对不起 duì bu qǐ

사과할 때 쓰는 말이다. 원래 뜻은 '떳떳하지 못하다.'에서 나왔으며, 사과를 나타내는 말로 굳어져 사용되었다. 그 밖에 '不好意思'라는 표현도 '미안하다'의 뜻으로 종종 사용된다. '不好意思'는 '난처하다, 부끄럽다'의 의미도 같이 나타낼 수 있어 사용하는 범위가 더 넓다고 할 수 있다.

■ 没关系 méi guānxi

미안하다고 사과하는 표현에 대한 인사표현으로서 '괜찮아요'라는 의미를 나타낸다. 최근에는 사과에 대한 인사뿐만 아니라 '고맙다'는 감사의 인사에 대한 대답으로도 사용되고 있다.

■ 可以 kěyǐ

'可以'는 조동사로 '…할 수 있다'의 용법과 형용사 '좋다'의 용법이 있다. '좋다'의 의미로 쓴 경우 '行', '好' 등과 대체해서 쓸 수 있다. 즉, 제안을 할 때, '可以吗?', '行吗?', '好吗?' 모두 같은 의미로 사용할 수 있으며, 거절을 할 때는 주로 '不行'이라고 한다.

 生词

没 méi 없다, …않다　　　对不起 duì bu qǐ 미안하다
时间 shíjiān 시간　　　　没关系 méi guānxi 상관 없다
可以 kěyǐ 좋다, 괜찮다

11 평가하기

1 다음 한어병음을 읽어 봅시다.

① wǎnshang　② yìqǐ　③ yǒudiǎnr　④ duìbuqǐ

2 다음 빈칸에 한어병음과 한자, 한글해석을 써 봅시다.

① 张　　　　　　　　…장
② 　　　　yìqǐ　　　함께
③ 忙　　　máng
④ 怎么样　　　　　　어떻니?
⑤ 没关系　méi guānxi
⑥ 　　　　kěyǐ　　　좋다, 괜찮다

3 다음의 한글을 중국어로 써 봅시다.

① 너 무슨 일이 있니?

② 오늘 내가 식사 대접을 하고 싶어.

③ 미안해. / 괜찮아.

4 다음 한자를 써 봅시다

请 청하다 qǐng
` 冫 讠 讦 诖 请 请

对 …에 대해 duì
フ 又 文 对 对

间 사이 jiān
` 冫 门 闩 闭 间 间

정답　2. ① zhāng　② 一起　③ 바쁘다　④ zěnmeyàng　⑤ 상관 없다, 괜찮다
　　　⑥ 可以
　　3. ① 你有什么事吗？　② 今天我想请客。　③ 对不起. / 没关系。

11 어휘 플러스

운동과 취미

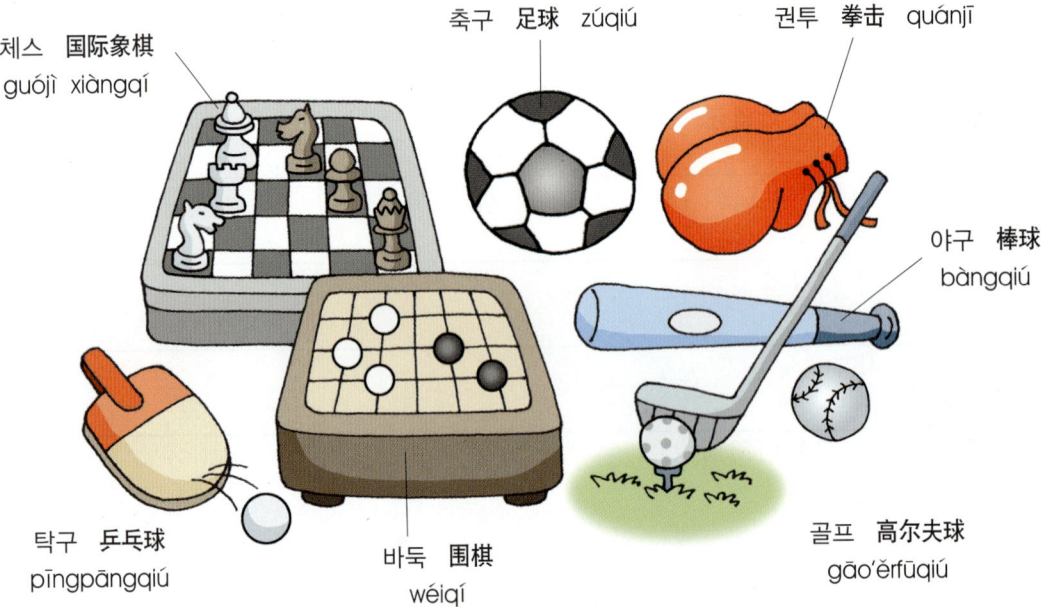

- 체스 国际象棋 guójì xiàngqí
- 축구 足球 zúqiú
- 권투 拳击 quánjī
- 야구 棒球 bàngqiú
- 탁구 乒乓球 pīngpāngqiú
- 바둑 围棋 wéiqí
- 골프 高尔夫球 gāo'ěrfūqiú

음악 듣다 听音乐 tīng yīnyuè

컴퓨터게임하다 玩电脑游戏 wán diànnǎo yóuxì

농구 篮球 lánqiú	배구 排球 páiqiú	테니스 网球 wǎngqiú
배드민턴 羽毛球 yǔmáoqiú	볼링 保龄球 bǎolíngqiú	마라톤 马拉松 mǎlāsōng
스케트 滑冰 huábīng	스키 滑雪 huáxuě	장기 象棋 xiàngqí

북경 올림픽 마스코트

 북경 올림픽조직위원회에 따르면 마스코트 '푸와(福娃 fúwá)'는 색채와 영감을 올림픽 오륜과 중국의 자연, 사람들이 좋아하는 동물 형상에서 얻었다고 한다. '福娃'에 담긴 뜻은 세계의 어린이들에게 우정, 평화, 적극적이고 진취적인 정신을 전달하고, 사람과 자연이 아름답게 조화되길 바라는 것이다. '福娃'는 5개의 귀여운 인형이며 물고기, 팬더, 성화, 영양, 제비의 형상을 하고 있다.

 부드럽고 순결한, 수상운동의 고수인 '뻬이뻬이'가 전하는 의미는 번영이다. 중국에서 '물고기'와 '물' 그림은 번영과 수확의 상징이다. '뻬이뻬이'의 머리 장식은 중국 신석기 시대의 물고기 문양도안이다. 올림픽 오륜의 파란색 동그라미와 어울려 빛난다.

 어디서나 환영을 받는 '찡찡'은 꼭 안아주고 싶은 팬더이다. 광활한 산림에서 왔으며, 사람과 자연의 조화와 공존을 상징한다. 머리의 장식은 송나라 도자기의 연꽃잎 문양에서 따왔다. 찡찡은 천진하고 낙천적이며 힘이 넘친다. 오륜의 검은 동그라미를 대표한다.

 올림픽 성화를 상징하는 '환환'은 다섯 마스코트의 큰형이다. '환환'은 운동의 열정의 화신이다. '더 빨리, 더 높이, 더 힘차게'의 올림픽 정신을 전파한다. '환환'이 하는 일은, 북경의 올림픽에 대한 열정을 세계에 자세히 알리는 것이다.

'잉잉'은 민첩하고 빠른 신강(新疆) 영양이다. 그는 아득한 중국서부의 대지에서 왔으며 세계에 아름다운 축복을 알린다. 머리 문양은 중국 서부 지역의 장식 스타일을 융합시켰다. 행동이 민첩한 육상의 고수로, 오륜의 황색 동그라미를 상징한다.

'니니'는 하늘에서 온 제비이다. 그 모양은 전통적인 북경의 제비에서 따왔다. 제비는 북경(북경의 옛 이름 燕京)을 상징한다. '니니'는 봄과 기쁨을 사람들에게 가져다 준다. 명랑하고 사랑스러우며 체조경기 중에 나타난다. 오륜의 녹색 동그라미를 상징한다.

12 한번 보기

喂，是北京大学吗?

여보세요, 북경대학인가요?
Wèi, Shì Běijīng Dàxué ma?

기본회화 1 장 선생님 계십니까?

웨이
A 喂?
Wèi?

웨이 칭원   짱 시엔셩 짜이 마
B 喂, 请问, 张先生在吗?
Wèi, qǐngwèn, Zhāng xiānsheng zài ma?

워 지우스   니 스 나 웨이
A 我就是。 你是哪位?
Wǒ jiù shì.   Nǐ shì nǎ wèi?

워 스 샤오 리
B 我是小李。
Wǒ shì xiǎo Lǐ.

A_ 여보세요?

B_ 여보세요, 실례지만 장 선생님 계세요?

A_ 전데요. 누구시죠?

B_ 저는 이 군입니다.

01 표현 다지기

■ 喂 wèi

전화통화 시에 '여보세요'에 해당하는 말이다. 원래 제4성으로 표기되나 실제로는 자주 제2성과 같은 상승조로 발음된다. 4성으로 읽으면 딱딱한 느낌이 되고, 2성으로 읽으면 친절한 느낌을 준다.

■ 请问 qǐngwèn

남에게 어떤 사실을 문의하고자 할 때 예절을 갖추려면 '请问'이란 말을 먼저 하고 뒤에 묻고자 하는 내용을 말한다.

- 请问,你是李先生吗?　　　실례지만 당신이 이 선생님인가요?
  Qǐngwèn, nǐ shì Lǐ xiānsheng ma?

■ 小李 xiǎo Lǐ

중국어에 있는 호칭 중에 성씨 앞에 '小', '大', '老' 등을 넣어 친밀감을 표시하는 것이 있다. '小'는 젊은 사람에게 흔히 쓰며, '…군', '…양'의 의미를 갖는다.

- 老李　　　이형, 이씨
  lǎo Lǐ

 生词

喂 wèi 여보세요	请问 qǐngwèn 실례합니다
先生 xiānsheng 씨, Mr.	就 jiù 바로
位 wèi 분(사람을 세는 양사)	小 xiǎo 성 앞에 쓰여 호칭을 만들어 줌

기본회화 ❷ 여보세요, 북경대학인가요?

A 　喂, 是北京大学吗?
　　Wèi, shì Běijīng Dàxué ma?

B 　是的, 您找谁?
　　Shìde, nín zhǎo shéi?

A 　我找王力教授。
　　Wǒ zhǎo Wáng Lì jiàoshòu.

B 　请稍等。
　　Qǐng shāo děng.

A_ 여보세요, 북경대학인가요?
B_ 그렇습니다, 누구 찾으세요?
A_ 왕리 교수님 부탁합니다.
B_ 잠시 기다리세요.

02 표현 다지기

■ 是北京大学吗？ Shì Běijīng Dàxué ma?

전화 통화에서 상대 쪽을 확인할 때, '是…吗?'를 쓸 수 있다.

- 是王力的家吗？　　　왕리 집입니까?
  Shì Wáng Lì de jiā ma?

■ 您找谁？ Nín zhǎo shéi?

전화에서 누구를 찾는지를 물을 때 쓰는 표현이다. '找'는 '(물건을) 찾다, 구하다'의 뜻으로 쓰이는데, 사람인 경우 '찾아가다, 방문하다'의 뜻도 있다.

- 我星期天找你去了。　　내가 일요일에 너를 찾아 갔었다.
  Wǒ xīngqītiān zhǎo nǐ qù le.

■ 请稍等 qǐng shāo děng

대부분의 상황에서 '잠시 기다리십시오'의 뜻으로 가장 널리 쓰이는 표현이다. '稍'는 '약간'이란 의미를 갖는다. '请'을 말하면 공손한 표현이 된다.

- 你再稍等等吧。　　　잠시만 기다려라.
  Nǐ zài shāo děngdeng ba.
- 请你再稍等。　　　　잠시만 기다리세요.
  Qǐng nǐ zài shāo děng.

找 zhǎo 찾다　　　　　　教授 jiàoshòu 교수
稍 shāo 잠시　　　　　　等 děng 기다리다
王力 Wáng Lì 왕리(인명)

기본회화 ③ 여보세요, 김대일 집인가요?

A 웨이 스 찐 따이 더 지아 마
喂, 是金大一的家吗?
Wèi, shì Jīn Dàyī de jiā ma?

B 타 추취 러 니 스 셰이
他出去了。 你是谁?
Tā chū qù le. Nǐ shì shéi?

A 워 스 타 더 펑여우 리 잉메이 타 션머 스호우 훼이라이
我是他的朋友李英美。 他什么时候回来?
Wǒ shì tā de péngyou Lǐ Yīngměi. Tā shénme shíhou huí lái?

B 뿌 쯔따오 니 완샹 짜이 다 거 띠엔화 바
不知道。 你晚上再打个电话吧。
Bù zhīdao. Nǐ wǎnshang zài dǎ ge diànhuà ba.

A_ 여보세요, 김대일 집인가요?

B_ 외출했는데요. 누구세요?

A_ 저는 친구 이영미인데요. 언제 돌아오나요?

B_ 모르겠어요. 저녁에 다시 전화해 보세요.

03 표현 다지기

■ 出去, 回来 chū qù, huí lái

동사 '去', '来'는 다른 동사의 뒤에 나와서 방향을 표시해 줄 수 있다. 말하는 사람에게서 멀어질 때는 '去', 말하는 사람에게로 가까이 올 때는 '来'를 쓴다.

- 他出来了。 그가 나왔다.
  Tā chū lái le.
- 她回去了。 그녀는 돌아갔다.
  Tā huí lái le.

■ 什么时候 shénme shíhou

'어느 때' 즉 '언제'에 해당하는 표현이다. '时候'는 '시간, 때'의 의미인데, '시점'을 가리키는 경우에 쓴다. '有时候'라고 할 경우는 '때로는, 간혹'의 뜻이다.

- 你什么时候有时间？ 너는 언제 시간이 있니?
  Nǐ shénme shíhou yǒu shíjiān?

■ 打个电话 dǎ ge diànhuà

'전화하다'에 쓰이는 중국어 동사는 '打'이다. '打'의 본래 뜻은 손으로 치는 동작이므로, 전화하는 동작에 이 동사를 쓴다. '打'는 대동사로서 '…하다'의 뜻으로도 많이 쓰인다. '个'는 양사 용법으로 '전화 한 번' 정도로 의미를 부드럽게 만들어 준다.

- 有你的电话。 네게 전화 왔어.
  Yǒu nǐ de diànhuà.

 生词

| 出 chū 나가다 | 时候 shíhou 때 | 回 huí 돌아가다 |
| 知道 zhīdao 알다 | 打 dǎ 때리다, 전화하다 | 电话 diànhuà 전화 |

12 평가하기

1 다음 한어병음을 읽어 봅시다.

① xiānsheng　② shíhou　③ zhīdao　④ diànhuà

2 다음 빈칸에 한어병음과 한자, 한글해석을 써 봅시다.

① 喂　　　　　　　　　　여보세요
② 请问　　qǐngwèn
③ 　　　　shāo　　　　　잠시
④ 等　　　　　　　　　　기다리다
⑤ 　　　　huí　　　　　　돌아가다
⑥ 打　　　dǎ

3 다음의 한글을 중국어로 써 봅시다.

① 당신은 누구를 찾으십니까?

② 잠시 기다리세요.

③ 그가 언제 돌아올까요?

4 다음 한자를 써 봅시다

问	묻다 wèn

丶 冫 门 问 问

电	전기 diàn

丨 冂 冂 日 电

话	말 huà

丶 讠 讦 讦 话 话

정답

2. ① wèi ② 말씀 좀 여쭙겠습니다. ③ 稍 ④ děng
   ⑤ 回 ⑥ 전화 걸다.

3. ① 您找谁？ ② 请稍等。 ③ 他(她)什么时候回来？

12 어휘 플러스

전화 관련 용어

전화번호 电话号码 diànhuà hàomǎ

86 - 02 - 1234 - 5678

국가번호 国家号码
guójiā hàomǎ

지역번호 区域号码
qūyù hàomǎ

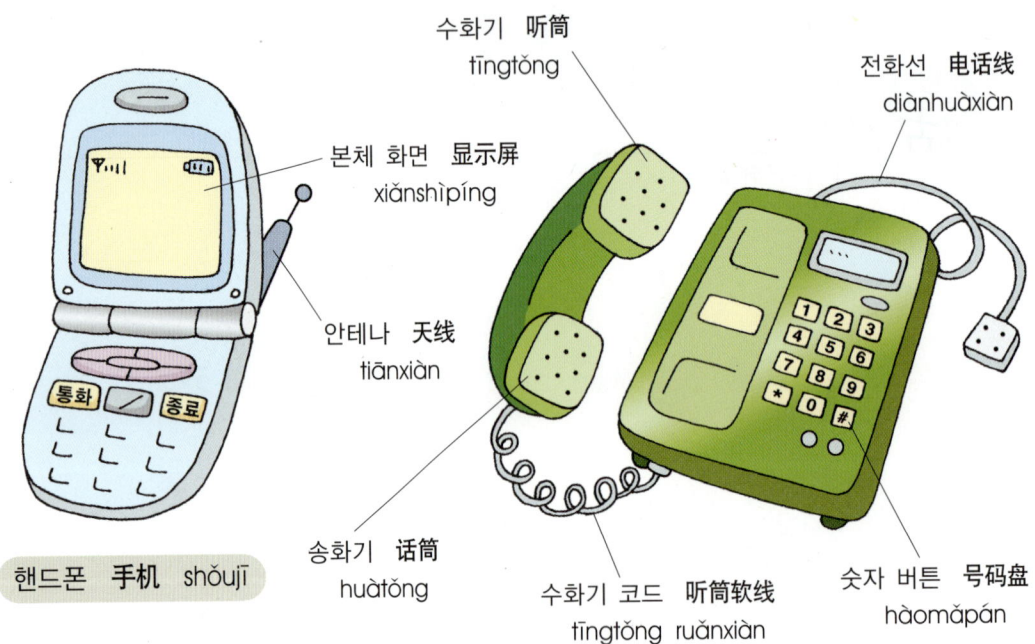

수화기 听筒 tīngtǒng

본체 화면 显示屏 xiǎnshìpíng

안테나 天线 tiānxiàn

전화선 电话线 diànhuàxiàn

송화기 话筒 huàtǒng

수화기 코드 听筒软线 tīngtǒng ruǎnxiàn

숫자 버튼 号码盘 hàomǎpán

핸드폰 手机 shǒujī

취소 버튼 取消键 qǔxiāojiàn
이어폰 잭 耳机插口 ěrjī chākǒu
전화카드 电话卡 diànhuàkǎ
국제전화 国际电话 guójì diànhuà
전화 받다 接电话 jiē diànhuà
통화 중이다 战线 zhàn xiàn
전화번호부 电话簿 diànhuàbù

통화 버튼 拨号键 bōhàojiàn
공중전화 公用电话 gōngyòng diànhuà
전화비 电话费 diànhuàfèi
수신자 부담 对方付款 duìfāng fùkuǎn
전화 끊다 挂电话 guà diànhuà
메시지를 남기다 留言 liúyán

중국에서 전화걸기

■ **중국 국내전화**

　대도시에서는 동전이나 카드를 사용하는 공중전화가 늘어나고 있지만 그 외의 지방 도시나 변두리에서는 우리 나라 길거리에서 볼수 있는 공중전화는 찾아보기 힘들다. 관리인이 있어 전화를 건 뒤에 지불하는 식의 공중전화가 대부분이다. 전화국에서도 전화를 걸 수 있으며 창구에 5角을 내고 통화한다.

■ **한국으로 직통으로 전화 걸기**

　00(국제인식번호)-한국의 국가번호(82)-0을 제외한 지역번호-걸고자 하는 곳의 전화번호 순으로 누르면 된다. 서울의 123-4567로 걸려고 한다면 00-82-2-123-4567을 누르면 된다. 단, 호텔에서 건다면 호텔의 외선번호를 먼저 누른 뒤에 이 번호를 누른다. 즉, [호텔의 외선번호→00→82→2→123-4567] 순서이다. 규모가 작은 호텔은 객실에서 직접 국제전화가 안 될 경우 프런트에 신청해야 한다.

■ **한국으로 컬렉트 콜로 전화 걸기**

　수신자부담 전화는 두 가지 번호를 이용해 걸 수 있다. 한국통신을 이용하면 108-821이고, 데이콤은 108-858이다. 호텔에서는 외선번호를 누르고 108-821를 누르면 '한국통신입니다' 하고 교환원이 받는다.이때 수신자부담 전화임을 알리고 상대방 전화번호를 대면 잠시 후에 통화할 수 있다. 단, 상대방이 수신자부담을 승낙하지 않으면 통화가 되지 않는다. 이 전화는 중국 대도시의 일부 공중전화를 통해서도 가능하다.

■ **한국에서 중국으로 국제전화 걸기**

　00(국제인식번호)-중국의 국가번호(86)-앞자리 0을 제외한 지역번호-걸고자 하는 곳의 전화번호 순으로 누르면 된다. 한국통신을 이용해서 북경(지역번호 010)의 123-4567로 걸려고 한다면 [001→86→10→123-4567]을 누르면 된다.

13 한번 보기

今天天气怎么样?
오늘 날씨가 어떻습니까?
Jīntiān tiānqì zěnmeyàng?

기본회화 1 오늘 날씨가 어떻습니까?

A 찐티엔 티엔치 쩐머양
今天天气怎么样?
Jīntiān tiānqì zěnmeyàng?

B 부추오 부타이 러
不错, 不太热。
Búcuò, bú tài rè.

A 훼이 부 훼이 샤 위
会不会下雨?
Huì bu huì xià yǔ?

B 부훼이 바
不会吧。
Bú huì ba.

A_ 오늘 날씨가 어떻니?
B_ 좋아, 별로 덥지 않아.
A_ 비가 올까?
B_ 안 그럴 것 같아.

01 표현 다지기

■ 不错 búcuò

'错'는 '틀리다'의 의미지만 '不错'는 보다 적극적으로 '좋다, 훌륭하다'의 뜻으로 쓰인다. 단순히 '틀리지 않다'의 표현으로는 '没错'가 있다.

- 他的汉语不错。　　　　그의 중국어는 훌륭하다.
  Tā de Hànyǔ búcuò.
- 那个电影很不错。　　　그 영화는 매우 좋다.
  Nàge diànyǐng hěn búcuò.

■ 会 huì

조동사 '会'는 두 가지 용법이 있다. 능력을 나타내는 '…할 줄 알다, 잘 하다'와 추측을 나타내는 '…일 것이다'로 쓰인다. 추측으로 쓰인 '会'의 부정 '不会'는 '…할 가능성이 없다'의 뜻이 된다.

- 他晚上会来吗?　　　　그가 저녁에 올까요?
  Tā wǎnshang huì lái ma?
- 他不会知道。　　　　　그가 알 것 같지 않다.
  Tā bú huì zhīdao.

天气 tiānqì 날씨　　　　不错 búcuò 괜찮다　　　　热 rè 덥다
会 huì …일 것이다　　　下雨 xià yǔ 비가 오다(내리다)

13 오늘 날씨가 어떻습니까?

기본회화 ❷ 이곳의 겨울은 춥습니까?

A <ruby>这<rt>쩌리</rt></ruby><ruby>里<rt></rt></ruby> <ruby>冬天<rt>똥티엔</rt></ruby> <ruby>冷不冷<rt>렁뿌렁</rt></ruby>?
Zhèlǐ dōngtiān lěng bu lěng?

B <ruby>比较<rt>비쟈오</rt></ruby> <ruby>冷<rt>렁</rt></ruby>。
Bǐjiào lěng.

A <ruby>下雪<rt>샤 쉬에</rt></ruby> <ruby>吗<rt>마</rt></ruby>?
Xià xuě ma?

B <ruby>常常<rt>창창</rt></ruby> <ruby>下雪<rt>샤 쉬에</rt></ruby>。
Chángcháng xià xuě.

A_ 여기 겨울은 춥습니까?

B_ 비교적 추워요.

A_ 눈이 내리나요?

B_ 종종 내립니다.

02 표현 다지기

■ 下雪 xià xuě

우리말 '눈이 내리다'에서는 '눈'이 주어로 쓰이지만, 중국어에서는 '동사+목적어' 형태인 '下雪'로 표현된다. 중국어를 쓰는 사람들은 동사 '내리다'라는 인식을 먼저 하고 그 대상이 '눈'임을 나타내는 것이다.

- 下大雪。   큰 눈이 내리고 있다.
  Xià dà xuě.

- 不下雪。   비가 내리지 않는다.
  Bú xià xuě.

■ 常常 chángcháng

'常'은 '자주, 종종'의 뜻으로 반복해서 '常常'의 형태로도 쓰인다. 부정 표현은 '不常'이다.

A : 你常常来吗？   너 자주 오니?
    Nǐ chángcháng lái ma?

B : 我不常来。   나 자주 못 와.
    Wǒ bù cháng lái.

 生词

这里 zhèlǐ 여기	冬天 dōngtiān 겨울	冷 lěng 춥다
比较 bǐjiào 비교적	下雪 xià xuě 눈이 내리다	常常 chángcháng 항상

13 오늘 날씨가 어떻습니까?

기본회화 ③ 베이징의 기후는 어떻습니까?

A 北京的气候怎么样?
Běijīng de qìhòu zěnmeyàng?

B 春天暖和, 夏天很热, 秋天凉快, 冬天很冷。
Chūntiān nuǎnhuo, xiàtiān hěn rè, qiūtiān liángkuai, dōngtiān hěn lěng.

A 春天风大不大?
Chūntiān fēng dà bu dà?

B 比较大。
Bǐjiào dà.

A_ 북경의 기후는 어떻습니까?

B_ 봄은 따뜻하고, 여름은 덥고, 가을은 시원하고, 겨울은 춥습니다.

A_ 봄에 바람이 많이 부나요?

B_ 꽤 많이 붑니다.

03 표현 다지기

■ **怎么样** zěnmeyàng

'怎么样'은 성질이나 상태를 물어보는 '어떻습니까?'의 뜻으로 술어가 될 수 있다. 또는 상대방에게 의향을 물어보는 '…하는게 어떻니?'의 의미가 되기도 한다.

- 北京的春天天气怎么样?　　북경의 봄은 날씨가 어떻습니까?
  Běijīng de chūntiān tiānqì zěnmeyàng?

- 你请客, 怎么样?　　당신이 한 턱 내는 게 어때요?
  Nǐ qǐng kè, zěnmeyàng?

■ **春天, 夏天, 秋天, 冬天** chūntiān, xiàtiān, qiūtiān, dōngtiān

계절을 나타낼 때, '春夏秋冬'의 뒤에 '天'을 붙여 말하는데, 우리말의 '…철'과 같은 구어의 느낌을 준다.

- 秋天天气很好。　가을철은 날씨가 아주 좋다.
  Qiūtiān tiānqì hěn hǎo.

Hé lǐ yǒu zhī chuán, chuán shàng guà báifān.
Fēng chuī fān zhāng chuán xiàng qián, wú fēng fān luò tíng xià chuán.

河里有只船, 船上挂白帆。 风吹帆张船向前, 无风帆落停下船。

강에 배 한 척이 있고, 배 위에 흰 돛이 걸려 있네.
바람이 불어 돛이 펴져 배가 앞으로 가고, 바람이 없으면 돛이 떨어져 배가 멈추네.

 生词

气候 qìhòu 기후	春天 chūntiān 봄	暖和 nuǎnhuo 따뜻하다
夏天 xiàtiān 여름	秋天 qiūtiān 가을	凉快 liángkuai 시원하다
风 fēng 바람		

13 평가하기

1 다음 한어병음을 읽어 봅시다.

① tiānqì   ② xià yǔ   ③ bǐjiào   ④ qìhòu

2 다음 빈칸에 한어병음과 한자, 한글해석을 써 봅시다.

①		tiānqì	날씨
②	不错	búcuò	
③		xià xuě	눈이 내리다
④	常常	chángcháng	
⑤	暖和		따뜻하다
⑥	凉快		시원하다

3 다음의 한글을 중국어로 써 봅시다.

① 오늘 비가 올까요?

② 북경의 날씨는 어떻습니까?

③ 이곳은 여름이 덥습니까?

4 다음 한자를 써 봅시다

热 덥다, 열 rè
一 十 扌 扌 执 执 热

较 비교적 jiào
车 车 车 轩 轩 轩 较 较

风 바람 fēng
丿 几 凡 风

2. ① 天气　　② 좋다　　③ 下雪
　 ④ 자주, 늘　⑤ nuǎnhuo　⑥ liángkuai
3. ① 今天会不会下雨？　② 北京的天气(气候)怎么样？　③ 这里的夏天热不热？

145

13 어휘 플러스

기상현상과 날씨

태양 太阳 tàiyang
달 月亮 yuèliang
별 星星 xīngxing
구름 云 yún
먹구름 乌云 wūyún

| 무지개 | 비 내리다 | 눈 내리다 | 회오리바람 |
| 虹霓 hóngní | 下雨 xià yǔ | 下雪 xià xuě | 旋风 xuànfēng |

천둥 雷 léi   번개 闪电 shǎndiàn   태풍 台风 táifēng
흐리다 阴 yīn   맑다 晴 qíng   건조하다 干燥 gānzào
습하다 潮湿 cháoshī   일기예보 天气预报 tiānqì yùbào

중국의 기후환경

중국대륙은 남북 위도의 차이에 따라 기온차도 크고 기후도 천차만별이다. 최남방인 해남도는 열대기후대에 속하고, 절강(浙江), 복건(福建), 광동(广东), 광서(广西) 등 화남지방은 아열대성기후를 띤다 그리고 양자강을 중심으로 한 화중지방은 온대기후대에 속하며, 화북평야에서부터 만주까지는 대륙성 냉대기후지역이다. 또한 서부의 신강위구르자치구, 청해(青海), 운남(云南), 티베트 등은 큰 산맥으로바다와 멀리 격리되어 있어서 건조한 기후를 보이며, 곳곳에 고산기후도 나타난다.

- **북부** : 겨울은 12~3월이며, 지독하게 춥다. 만리장성 북부, 내몽골 안쪽 또는 헤이룽장의 기온은 -40℃까지 떨어지고 모래 언덕이 눈으로 덮인 묘한 광경도 볼 수 있다. 여름은 대개 5~8월이다. 봄과 가을이 방문하기에 가장 좋다.

- **중부** : 양쯔강 계곡지역(상해 포함)의 여름은 길며, 덥고 습하다. 4~10월은 어느 때를 막론하고 기온이 높다. 겨울은 짧고 춥다. 기온이 영하로 떨어지고 거의 북경만큼 추워진다.

- **남부** : 광저우 근처 남단은 덥고 습한 여름이 4~9월까지 계속된다. 온도가 38℃에 달하기도 한다. 이때는 장마철이기도 한데 7~9월에는 동남쪽 해안에 태풍이 분다. 겨울은 1~3월까지로 짧은 편이다. 여행하기 가장 좋은 때는 기온이 보통 20~25℃인 봄, 가을이다.

- **서북부** : 여름엔 꽤 덥지만 그래도 건조하다. 한낮의 사막지역은 찌는 듯이 덥다. 투르판은 저지대로 해발 150m 이하에 자리하고 있어 한여름이면 온도가 47℃까지 치솟는다. 겨울은 북쪽 지방만큼 추위가 매섭다.

- **티베트** : 하루에도 4계절을 모두 느낄 수 있다. 밤과 새벽에는 온도가 영하로 떨어졌다가 한낮에는 38℃까지 치솟는다. 겨울이면 매서운 추위가 닥쳐 칼날 같은 겨울바람이 분다.

14 한 번 보기

你要什么?

당신은 무엇을 원하십니까?
Nǐ yào shénme?

기본회화 ① 뭐가 필요하시죠?

A 니 야오 션머
   你要什么?
   Nǐ yào shénme?

B 워 야오 핑궈   핑궈 쩐머 마이
   我要苹果, 苹果怎么卖?
   Wǒ yào píngguǒ, píngguǒ zěnme mài?

A 싼 콰이 우 이 찐   마이 뚜어 샤오
   三块五一斤, 买多少?
   Sān kuài wǔ yì jīn, mǎi duōshao?

B 쓰 찐
   四斤。
   Sì jīn.

A_ 당신은 무얼 원하세요?

B_ 저는 사과를 사려고요. 사과는 어떻게 파세요?

A_ 한 근에 3원 50전입니다. 얼마 사시겠어요?

B_ 4근요.

01 표현 다지기

■ 要什么? yào shénme?

'要'는 동사로 '원하다, 필요하다'의 뜻과 조동사로 '…하려고 하다, …해야 한다'의 뜻이 있다. 지금 상황은 상점 주인이 손님에게 무엇을 원하는지를 묻는 경우이다.

- 你们要什么？ 당신들은 무엇을 원하세요?
  Nǐmen yào shénme?
- 我要买苹果。 저는 사과를 사려고 합니다.
  Wǒ yào mǎi píngguǒ.

■ 怎么卖? zěnme mài?

물건의 가격을 물을 때 중국 사람들이 일반적으로 쓰는 표현이다. '어떻게 (얼마에) 파는지'를 묻는 것이다. '怎么'는 방식을 나타내는 것 외에 '이유'를 물어볼 때도 쓴다.

- 你们是怎么来的？ 당신들은 어떻게 왔습니까?
  Nǐmen shì zěnme lái de?
- 你怎么不来？ 너는 왜 안 오니?
  nǐ zěnme bù lái?

 生词

要 yào 원하다, …하려고 하다 苹果 píngguǒ 사과
卖 mài 팔다 块 kuài 위안(화폐단위)
斤 jīn 근(무게단위, 중국에서 1은 500g)

14 당신은 무엇을 원하십니까?

기본회화 2 코카콜라 있습니까?

A 여우 커코우 커러 마
有可口可乐吗?
Yǒu kěkǒu kělè ma?

B 여우 야오 지 핑
有, 要几瓶?
Yǒu, yào jǐ píng?

A 야오 싼 핑 이꿍 뚜어 샤오 치엔
要三瓶, 一共多少钱?
Yào sān píng, yígòng duōshao qián?

B 스얼 콰이
十二块。
Shí'èr kuài.

A_ 코카콜라 있나요?
B_ 있습니다. 몇 병 필요하세요?
A_ 세 병 주세요. 모두 얼마지요?
B_ 12원입니다.

 生词

瓶 píng 병　　　可口可乐 kěkǒu kělè 코카콜라　　　钱 qián 돈

Nǐ yào shénme? 14

02 표현 다지기

■ 可口可乐 kěkǒu kělè

중국어로 코카콜라를 번역하여 나타낸 것이다. 이 단어는 음역어 중에서도 발음에 있어서 감쪽같이 비슷하게 만들었고, 뜻도 아주 잘 살린 것으로 꼽는다. 왜냐하면 '口(입)'이 아주 즐겁다(乐)'라는 뜻이 되기 때문이다. 이와 같이 중국어는 외래어를 받아들일 때, 음을 옮기거나, 뜻으로 번역하거나, 혹은 두 개를 합쳐서 나타내는 방법을 쓴다.

- 百事可乐 bǎishì kělè 펩시콜라
- 电视 diànshì 텔레비전
- 乒乓球 pīngpāngqiú 탁구

■ 一共多少钱? yígòng duōshao qián?

'一共'은 숫자의 총합을 나타낼 때 '모두'라는 뜻이다. 보통 물건 값을 지불할 때 '전부해서'의 뜻으로 쓰인다. '多少钱?'도 '怎么卖?'처럼 가격을 물을 때 쓰는 표현으로 '돈이 얼마입니까?'의 뜻이 된다.

- 四瓶可乐一共多少钱?　　　콜라 네 병에 전부 얼마인가요?
  Sì píng kělè yígòng duōshao qián?

잰말놀이

Gāo gāo shān shàng yì tiáo téng, téng tiáo tóu shàng guà tónglíng.
Fēng chuī téng dòng tónglíng dòng, fēng tíng téng tíng tónglíng tíng.
高高山上一条藤, 藤条头上挂铜铃。风吹藤动铜铃动, 风停藤停铜铃停。
높은 산에 등나무 덩굴, 등나무 덩굴 위에 구리방울이 걸려 있네.
바람이 불면 등나무가 움직여 구리방울도 움직이고,
바람이 멈추면 등나무가 멈춰 구리방울도 멈추네.

14 당신은 무엇을 원하십니까?

기본회화 ③ 이 옷은 얼마입니까?

A
워 샹 마이 쩌 지엔 이푸 뚜어 샤오 치엔
我想买这件衣服，多少钱？
Wǒ xiǎng mǎi zhè jiàn yīfu, duōshao qián?

B
량 바이 싼스 콰이 하이야오 비에더 마
两百三十块，还要别的吗？
Liǎngbǎi sānshí kuài, hái yào biéde ma?

A
부야오 러 게이 니 싼바이
不要了，给你三百。
Búyào le, gěi nǐ sānbǎi.

B
자오 니 치스 콰이
找你七十块。
Zhǎo nǐ qīshí kuài.

A_ 저는 이 옷을 사고 싶은데, 얼마인가요?

B_ 230위안입니다. 또 필요한 것 없으세요?

A_ 없습니다. 300위안 드리겠습니다.

B_ 70위안 거슬러 드릴게요.

Nǐ yào shénme? 14

03 표현 다지기

■ 两百三十块 liǎngbǎi sānshí kuài

'块 kuài'는 중국의 화폐단위에서 원(위안)에 해당한다. 중국 돈의 이름은 인민폐(人民币 rénmínbì, RMB)라고 하며, 금액을 나타낼 때는 '元 yuán'을 쓴다. '元'과 '块'는 같은 의미인데 구어에서는 '块'로 말한다.

■ 还要别的吗? hái yào biéde ma?

물건 파는 사람이 빼놓지 않고 하는 질문이다. 무언가를 하나 고른 사람에게 추가로 필요한 것이 없는지를 물을 때 쓴다. '还'는 '또, 더'의 뜻이고, '别的'는 '다른 것'으로 명사가 생략된 용법이다.

- 我还要别的书。 나는 또 다른 책을 사려고 합니다.
  Wǒ hái yào biéde shū.

■ 给你三百 gěi nǐ sānbǎi

'给'는 '…에게 ~를 주다' 형식으로 목적어를 두 개 취할 수 있는 동사이다. 물건을 주면서 '给你.'라고만 말하기도 한다. 한편 '给'는 중요한 전치사 용법이 있는데, 동사의 앞에서 대상을 표시하는 역할을 한다.

- 我给你打电话。 내가 너한테 전화할게.
  Wǒ gěi nǐ dǎ diànhuà.
- 妈妈给我买衣服。 엄마가 내게 옷을 사 주셨다.
  Māma gěi wǒ mǎi yīfu.

生词

| 件 jiàn 벌(옷을 세는 단위) | 衣服 yīfu 옷 | 还 hái 또한, 아직 |
| 别 bié 다른, …하지 마라 | 给 gěi 주다, …에게 | |

14 평가하기

1 다음 한어병음을 읽어 봅시다.

① píngguǒ　　② qián　　③ kěkǒu kělè　　④ yīfu

2 다음 빈칸에 한어병음과 한자, 한글해석을 써 봅시다.

①	☐	mài	팔다
②	块	☐	위안(화폐단위)
③	☐	xià xuě	눈이 내리다
④	钱	qián	☐
⑤	还	☐	또한, 아직
⑥	别	bié	☐

3 다음의 한글을 중국어로 써 봅시다.

① 사과는 한 근에 얼마입니까?

② 또 필요한 것 없으세요?

③ 70원 거슬러 드릴게요.

4 다음 한자를 써 봅시다

苹	사과 píng	苹 苹 苹 苹 苹		
	一 艹 艹 艹 莁 苹			

钱	돈 qián	钱 钱 钱 钱 钱
	丿 钅 钅 钅 钱 钱 钱	

给	주다 gěi	给 给 给 给 给
	纟 纟 纠 纠 纷 给 给	

정답
2. ① 卖　　　② kuài　　　③ 下雪
　　④ 돈　　　⑤ hái　　　⑥ 다른
3. ① 苹果多少钱一斤？　② 还要别的吗？　③ 找你七十块(钱)

155

14 어휘 플러스

과일과 채소

바나나 香蕉 xiāngjiāo
배추 白菜 báicài
토마토 西红柿 xīhóngshì
귤 橘子 júzi
무 萝卜 luóbo
포도 葡萄 pútao
사과 苹果 píngguǒ
수박 西瓜 xīguā
딸기 草莓 cǎoméi
파 葱 cōng

배 梨子 lízi	감 柿子 shìzi	참외 甜瓜 tiánguā
복숭아 桃子 táozi	앵두 樱桃 yīngtáo	고추 辣椒 làjiāo
생강 生姜 shēngjiāng	마늘 大蒜 dàsuàn	양파 洋葱 yángcōng

중국의 화폐

중국의 화폐 단위는 위안(元 yuán)이고, 화폐는 지폐와 동전으로 나눌 수 있다. 환율에 변동이 있어 정확한 비교는 힘들지만 우리나라 돈과 비교하면 중국돈 1위안은 우리나라 돈 약 140원에 해당한다.

중국의 지폐(纸币 zhǐbì)는 100위안 권, 50위안 권, 20위안 권, 10위안 권, 5위안 권, 2위안 권, 1위안 권, 5마오 권, 2마오 권, 1마오 권, 1펀 권 등이 있고, 동전(硬币 yìngbì)으로는 1위안 권, 5마오 권, 1마오 권, 5펀 권, 1펀 권 등이 있다. 1위안은 10마오이고, 1마오(毛 máo)는 10펀(分 fēn)에 해당한다.

과거의 화폐에는 소수민족 얼굴과 노동자계층의 모습이 그려져 있었으나 1999년 이후 새로 발행되는 모든 화폐에는 모택동의 얼굴이 그려져 있다.

위조지폐가 유통되고 있기 때문에 고액권일수록 진위여부를 가리기 위해 애쓰는 모습을 자주 볼 수도 있다.

15 什么时候考试?

언제 시험을 봅니까?
Shénme shíhou kǎoshì?

기본회화 언제 시험을 보지요?

A 什么时候考试?
   Shénme shíhou kǎoshì?

B 下星期一。
   Xià xīngqīyī.

A 你准备得怎么样呢?
   Nǐ zhǔnbèi de zěnmeyàng ne?

B 还可以。不过发音很难。
   Hái kěyǐ. Búguò fāyīn hěn nán.

A_ 언제 시험을 봅니까?

B_ 다음 월요일에요.

A_ 당신은 어떻게 준비하고 있어요?

B_ 그런대로 괜찮아요. 하지만 발음이 어려워요.

01 표현 다지기

■ **下星期一** xià xīngqīyī

'下'는 다음, 나중에 오는 차례를 가리키는 말이다. 상대적으로 이전 차례를 가리키는 것은 '上'이다. 이들은 여러 어휘와 결합하여 전, 후 관계를 나타낸다.

- 上午 : 오전, 上个星期 : 지난 주, 上个月 : 지난 달
- 下午 : 오후, 下个星期 : 다음 주, 下个月 : 다음 달

■ **你准备得怎么样?** Nǐ zhǔnbèi de zěnmeyàng?

동사 '准备'에 정도 보어가 연결된 것이다. '得+정도 보어'는 술어의 동작이나 상태에 대해 보충 설명하는 역할을 한다. '得'는 우리말로 '…하게'로 이해해도 무방하다.

- 你考试考得怎么样呢? 너는 시험을 어떻게 보았니?
  Nǐ kǎoshì kǎo de zěnmeyàng ne?

■ **还可以** hái kěyǐ

부사 '还'는 대표적인 뜻에 '아직, 또한'이 있고, 여기서는 '그런대로'의 뜻으로 쓰였다. 중국 사람들의 사유 양식은 극단적인 표현을 기피하는 경향이 있어, 아주 좋거나 나쁘지 않을 때 '还可以'라는 말을 즐겨 쓴다.

- A : 你身体怎么样? 너 건강은 어떻니?
  Nǐ shēntǐ zěnmeyàng?
- B : 还可以。 그런대로 괜찮아
  Hái kěyǐ.

 生词

考试 kǎoshì 시험보다	下 xià 다음	准备 zhǔnbèi 준비하다
得 de 조사(보어를 연결함)	不过 búguò 하지만	发音 fāyīn 발음
难 nán 어렵다		

15 언제 시험을 봅니까?

기본회화 ② 중국어 배우기가 어떤가요?

A　你 觉得 汉语 学起来 怎么样？
　　Nǐ juéde Hànyǔ xué qǐ lái zěnmeyàng?

B　开始 的 时候 很 难, 现在 好 多 了。
　　Kāishǐ de shíhou hěn nán, xiànzài hǎo duō le.

A　看来 你 很 用功 啊。
　　Kànlái nǐ hěn yònggōng a.

B　哪里, 只是 觉得 汉语 越 学 越 有意思。
　　Nǎli, zhǐshì juéde Hànyǔ yuè xué yuè yǒu yìsi.

A_ 너는 중국어 배우는 것 어떻니?
B_ 시작할 때는 어려웠지만, 지금은 많이 좋아졌어.
A_ 보아하니 너 아주 열심히 하는구나.
B_ 천만에, 단지 중국어가 배울수록 재밌을 뿐이야.

02 표현 다지기

■ 开始的时候 kāishǐ de shíhou

'的'는 관형어를 만들어 주는 조사로서 '…하는, …할'로 해석된다.

- 有空的时候看电影。　　　　시간이 있을 때에 영화를 본다.
  Yǒu kòng de shíhou kàn diànyǐng.

■ 现在好多了 xiànzài hǎo duō le

'多'는 형용사 '好' 뒤에서 보충 설명 작용을 하여 '많이', '훨씬'에 해당한다. '了'는 변화를 나타내는 조사로 쓰여 '…하게 되었다'의 의미를 나타낸다.

- 人越来越多了。　　　　사람이 갈수록 많아졌다.
  Rén yuè lái yuè duō le.

- 他今天好多了。　　　　그는 오늘 훨씬 좋아졌다.
  Tā jīntiān hǎo duō le.

■ 越学越有意思 yuè xué yuè yǒu yìsi

'越…越~'는 '…할수록 ~하다'의 뜻을 나타내는 문형이다.

- 书越多越好。　　　　책은 많을수록 좋다.
  Shū yuè duō yuè hǎo.

'越来越…'는 '시간이 갈수록 점점 …해지다'라는 뜻을 갖는다.

- 人越来越多了。　　　　사람이 갈수록 많아졌다.
  Rén yuè lái yuè duō le.

 生词

觉得 juéde 느끼다	学 xué 배우다	起来 qǐlái …해 보다
开始 kāishǐ 시작하다	哪里 nǎli 천만에	只 zhǐ 단지
越 yuè …할수록		

15 언제 시험을 봅니까?

기본회화 ❸ 중국어 배운 지 반 년 되었습니다.

A 你 学 汉语 学了 几 年?
Nǐ xué Hànyǔ xuéle jǐ nián?

B 学了 半年 了。
Xuéle bànnián le.

A 哇, 你 汉语 说 得 真 好。
Wà, nǐ Hànyǔ shuō de zhēn hǎo.

B 哪儿的话。 别的 同学 比 我 更 好。
Nǎr de huà. Biéde tóngxué bǐ wǒ gèng hǎo.

A_ 너는 중국어를 몇 년 배웠니?

B_ 반년째 배우고 있어.

A_ 와, 너 중국어 참 잘하는구나.

B_ 별 말을. 다른 친구들이 나보다 더 잘해.

03 표현 다지기

■ **了** le

'你学汉语学了几年？'에는 동사 '学' 다음에 '了'가 들어가 있다. 이와 같이 동사 바로 다음에 부가되는 '了'를 완료태라고 한다. 완료태 '了'는 언제나 동사의 바로 뒤에 위치하여, 그 동작이 구체적으로 발생하는 사태를 묘사한다.

'你学汉语学了几年？'은 언제인지는 모르지만 '당신은 몇 년 동안 중국어를 배웠는가?'를 묻는다. 이 물음에 대하여 '学了一年'이라고 대답하였다면 이는 언제인지는 모르지만 '1년 동안 중국어를 배운 사실이 있다'는 것을 나타낸다. 그런데 위의 대화에서는 '学了半年了.'라고 대답하고 있다. 여기에는 두 개의 '了'가 나와 있다. '学' 다음의 '了'는 동사 바로 뒤에 오는 완료태이고, 문장의 끝에 오는 '了'는 사태 변화의 '了'이다. 사태 변화의 '了'는 문장의 끝에 위치하여, 그 자신의 앞에 서술된 상황으로 '이제' 사태가 변했음을 나타낸다. 예를 들면 '现在六点半了'는, '지금 6시 30분인 상황으로 변하였다.'는 뜻이 된다.

■ **别的同学比我更好** biéde tóngxué bǐ wǒ gèng hǎo.

'比'는 비교문을 만들어주는 전치사이다. 'A比B…' 형식으로 'A는 B보다…'를 나타낸다. '比' 뒤에 오는 술어 앞에는 흔히 '还, 还要, 更' 등이 부가된다. '更'은 '더욱'이라는 의미로 사용되지만 '还, 还要'는 특별한 의미 없이 '比' 비교문에 습관적으로 사용된다.

- 他比我还大。 그는 나보다 나이가 많다.
  Tā bǐ wǒ hái dà.

- 我比他更用功。 나는 그보다 더욱 열심히 한다.
  Wǒ bǐ tā gèng yònggōng.

 生词

| 哇 wà 어기조사 | 说 shuō 말하다 | 真 zhēn 진짜 |
| 话 huà 말 | 比 bǐ …보다 | 更 gèng 더 |

15 평가하기

1 다음 한어병음을 읽어 봅시다.

① kǎoshì ② zhǔnbèi ③ juéde ④ nǎli

2 다음 빈칸에 한어병음과 한자, 한글해석을 써 봅시다.

① 不过   búguò   ☐
② 发音   ☐   발음
③ ☐   kāishǐ   시작하다
④ 越   ☐   …할수록
⑤ ☐   bǐ   …보다
⑥ 更   gèng   ☐

3 다음의 한글을 중국어로 써 봅시다.

① 다음 월요일에 시험 본다.

② 단지 중국어가 배울수록 재밌다.

③ 다른 친구들이 나보다 더 잘 한다.

4 다음 한자를 써 봅시다

准 정확하다 zhǔn 准 准 准 准 准
丶 冫 冫 冫 冫 冫 准

觉 느끼다 jué 觉 觉 觉 觉 觉
丶 丷 ⺌ 学 学 觉 觉

真 진실하다 zhēn 真 真 真 真 真
一 十 广 㐬 育 直 真

정답

2. ① 그런데, 그러나   ② fāyīn   ③ 开始
   ④ yuè   ⑤ 比   ⑥ 더욱, 또
3. ① 下星期一考试。 ② 只是觉得汉语越学越有意思。 ③ 别的同学比我更好。

165

15 어휘 플러스

학교·문구 관련 용어

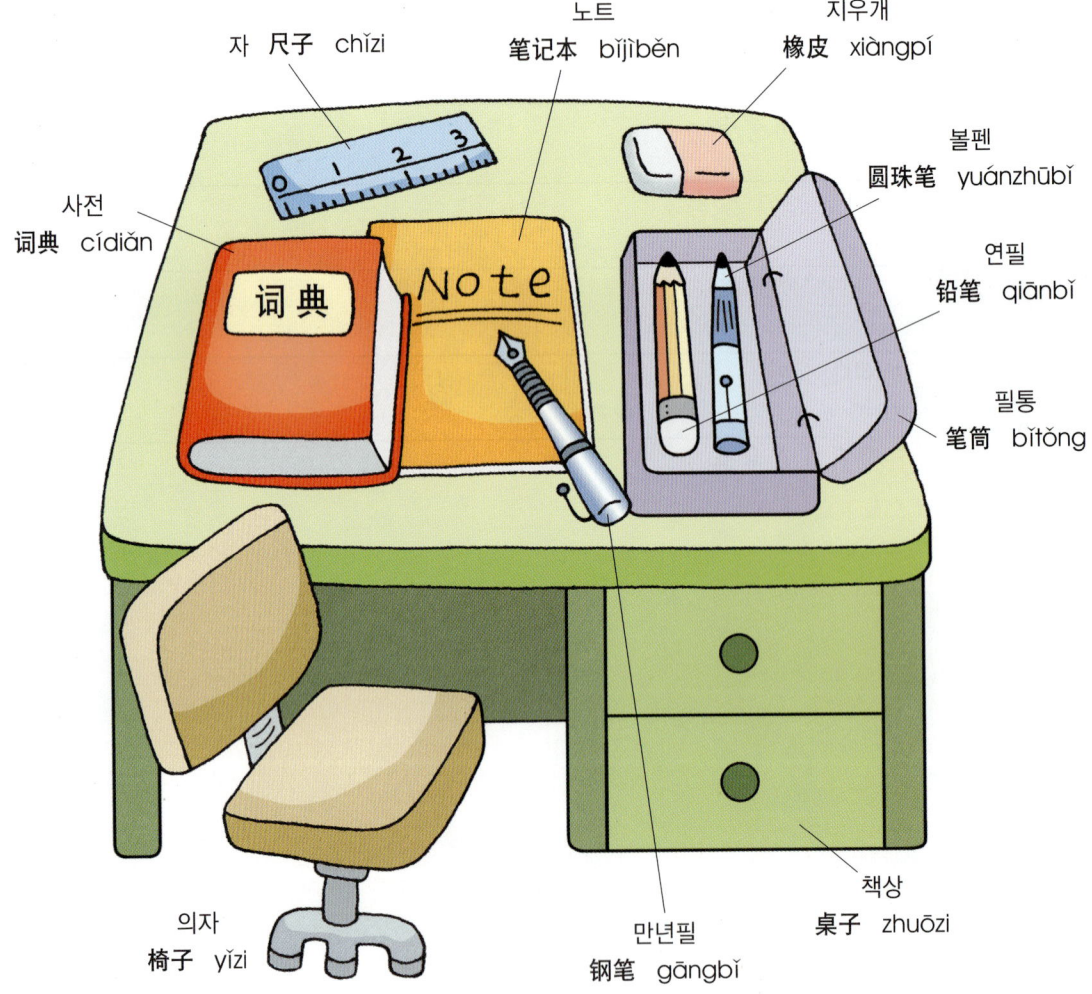

黑板 hēibǎn 칠판	黑板擦儿 hēibǎncār 칠판지우개	粉笔 fěnbǐ 분필
毛笔 máobǐ 붓	书包 shūbāo 책가방	幼儿园 yòu'éryuán 유치원
小学 xiǎoxué 초등학교	初中 chūzhōng 중학교	高中 gāozhōng 고등학교
大学 dàxué 대학교	研究生院 yánjiūshēngyuàn 대학원	
专科学校 zhuānkē xuéxiào 전문학교		学院 xuéyuàn 단과대학

중국의 학교

■ **중국의 학제**

　중국의 학제는 한국과 같은 6·3·3·4제이지만, 신학기는 9월에 시작되며 신학기가 다가오면 학교에서는 학생모집을 한다. '초등학교(小学校 xiǎoxuéxiào)'를 졸업하면 중학교에 들어가게 되는데, 중국의 중학교는 초급 중학교와 고급 중학교로 나뉜다. 고급중학은 고등학교에 해당된다. 중국은 학생의 학력에 맞는 '중고등학교(高中 gāozhōng)' 입학시험을 보는데, 부모들은 가능한 한 '명문학교(重点校 zhòngdiǎnxiào)'에 입학 시키려고 한다. 그러나 농촌에서는 자기의 마을에 있는 것은 초급 중학 뿐이기 때문에 고급 중학에 진학하려면 더 큰 마을까지 통학하든가, 기숙사에 들어간다.

■ **중국의 대학**

　중국의 고등교육기관에는 '대학(大学 dàxué)'과 '학원(学院 xuéyuàn)'이 있다. 대학이란 우리나라의 종합대학을 말하고 학원은 단과대학을 말한다. 대학이나 학원에 입학하려면 전국통일시험에 합격해야한다. 문과계는 정치·국어·수학·역사·지리·외국어, 이과계는 정치·국어·수학·물리·화학·생물·외국어교과 시험을 본다. 100점 만점에서 각 과목의 평균점이 92점 이상이 아니면 합격할 수 없을 정도로 경쟁이 치열하다. 수험생은 5개의 지망 학교를 선택할 수 있고, 성적순으로 입학  가능 대학이 결정된다. 대체로 평균점이 91점 이하인 수험생은 2년제 혹은 3년제의 전문학교로 배정된다. 중국에서 유명한 대학은 북경대·청화대·중국과기대·남경대·복단대 등이 있지만 그러나 인문학계에서는 북경대학을 자연과학 분야에서는 청화대학을 최고로 여긴다.

■ 저자 박신영

- 서울대학교 중문과 졸업
- 한국외국어대학교 교육대학원 중국어교육과 졸업
- 서울대학교 중문과 박사과정 수료
- 현 명덕외국어고등학교 중국어 교사

□ 저서 《21세기 신경향 중국어》(2000), 정진출판사
《중국어 교육 어떻게 할까》공저(2005), 한국문화사

혼자하기 딱좋은 中國語
중국어 첫걸음 한번보기

초판 1쇄 발행　2006년 6월 15일
　5쇄 발행　2009년 7월 30일

저　자　박신영
발행인　박해성
발행처　정진출판사

등　록　1989. 12. 20. 제6-95호
주　소　136-130 서울시 성북구 하월곡동 10-6
대표전화　02) 917-9900 / 팩스 02) 917-9907
홈페이지　www.jeongjinpub.co.kr

ⓒ 正進出版社

ISBN　89-5700-048-8 *13720
　　　89-5700-047-X (세트)

- 이 교재에는 듣기테이프(2개)와 별책부록(여행 중국어)이 포함되어 있습니다.
- 정가는 책 표지에 표시되어 있습니다.